ГОРОД
ПАМЯТНИКИ
МУЗЕИ
МЕДИЧИ

ФЛОРЕНЦИЯ

12 флорентийских маршрутов

(*) смотровая площадка
*курсивом выделены
названия музеев*

© 2006 **sillabe** s.r.l.
Ливорно
www.sillabe.it
info@sillabe.it

Общая редакция: *Магдалена Паола Винспер*
Текст: Этель Сантакроче
Главы «Фабрика Твёрдого Камня» и «Биографии Медичи»: *Моника Гварраччино*
Графика: *Лаура Бельфорте*
Общая редакция: *Джулия Бастианелли*

Перевод: *Centro Linguistico Agora´ - Ирина Манкина*

Фотографии: *Архив издательства Силлабе: фотографии П. Наннони, Р. Бардацци*

ISBN 88-8347-314-0

План в перспективе «делла Катена», Музей Истории Флоренции

Площадь Республики, *Колонна Изобилия*, на месте античного Римского Форума

Башня Кастанья

Табернакль Санта Мария делла Тромба (Палаццо Цеха Шерстянщиков)

Остатки крепостных стен XIV века с башней Торре ди Маскерино

Несмотря на свои этрусские первоистоки, Флоренция обязана своим рождением древним римлянам, которые в 59 г. до н.э. разбили лагерь вдоль реки Арно, назвав его *Флорентия* (цветущая).

До наших времён сохранились в районе площади Республики характерные следы традиционной римской планировки: место, где возведена колонна, является пересечением линий, образованных улицами Рима и Калимала (*cardo maximus*) с улицами Строцци и дель Корсо (*decumanus maximus*).

В эпоху вторжений варваров Флоренция выдержала осады остроготов (405 г.) и византийцев (535 г.), которые флорентийцам удалось пережить благодаря защите мощных крепостных стен, но пала под натиском готов в 541 г.

В эпоху Каролингов (VIII век) город находился под властью Священной Римской Империи, а в последующую эпоху городского самоуправления долго оставался под властью графини Матильды ди Каносса, и только в 1115 году, после её смерти, наконец стал городской коммуной, управляемой богатыми торговцами, церковными деятелями и знатными семьями.

Борьба за власть в городе почти постоянно велась между двумя группировками: гвельфами (приверженцами Папы) и гибеллинами (сторонниками императорской власти). Враждующие стороны часто и с переменным успехом сходились в вооружённых столкновениях (наиболее известна битва при Монтаперти в 1260 г., где победа осталась на стороне гибеллинов).

В 1289 году при Кампальдино гвельфы смогли победить Ареццо, положив таким образом начало эпохе доминирования Флоренции над другими городами.

Несмотря на междоусобные войны двух группировок, в которых успех сопутствовал попеременно гвельфам и гибеллинам, Флоренция переживала экономический подъём, главным образом благодаря торговле шерстью и шёлком, сделавшей город известным и почитаемым во всей Европе В 1252 г. город начал чеканку собственной золотой монеты, называемой *Фьорино*, благодаря тому, что на лицевой стороне помещалось изображение ириса, цветка-символа города, а на оборотной стороне – *Св. Иоанна Крестителя*, покровителя Флоренции, день которого – 24 июля - до сих пор является городским праздником.

Благодаря экономическому росту в 1282 г. контроль над городом перешёл в руки семи Старших Цехов - корпоративных объединений ремесленников, богатых торговцев и банкиров, финансировавших многие европейские монархии.

В 1293 году новая знать, состоявшая из разбогатевших коммерсантов, добилась «справедливого порядка», отстранив семьи старой аристократии от управления городом.

В тяжёлые времена Столетней Войны, сопутствующего кризиса флорентийских банков и жестокой эпидемии чумы 1348 г., растущее недовольство бедного люда правлением зажиточной аристократии Старших Цехов выплеснулось во время памятного бунта «Чомпи» (мелких ремесленников). Ремесленникам, связанным с обработкой шерсти, удалось образовать свой Цех и войти в правительство. Вскоре, тем не менее, новообразованные Цеха были упразднены и власть вновь перешла в руки немногих известных семейств. Город вновь разделился на две группировки: одна, состоявшая из старой олигархии, тяготела к семейству Альбици, другая, состоявшая из бедного люда, сплотилась вокруг семьи Медичи, - банкиров, разбогатевших на торговле, родом из Муджелло. Тем временем *Флорентийская Республика* получила выход к морю, захватив

города Пиза и Ливорно. Во времена правления Козимо Старшего де Медичи, в 1434 г., город фактически превратился в Синьорию, что положило начало эпохе культурного и экономического процветания.

Внуку Козимо Лоренцо, по прозвищу Великолепный, удалось ещё более упрочить во второй половине XV века власть семьи и престиж города благодаря напряжённой политической деятельности, направленной на укрепление союза с Неаполем и Миланом. Его сын Пьеро, напротив, был изгнан из Флоренции за то, что не проявил должной твёрдости во время вторжения французских войск Карла VIII, оккупировавших Флоренцию (1494 г.). Флорентийцы восстали против захватчиков, воодушевляемые проповедями монаха Савонаролы (впоследствии отлучённого от церкви по обвинению в ереси и преданного огню на площади Синьории) и восстановили *Республиканское правление*, продержавшееся до 1512 г., когда в город вернулись сыновья Лоренцо Великолепного, - Джованни (ставший впоследствии папой Львом X) и Джулиано. После того, как братья были вынуждены перебраться в Рим (1527 г.), Флоренция вернулась к республиканской форме правления, избрав Герцога Урбинского Капитаном города. Тем временем, семья Медичи приобрела настолько большое влияние в Риме, что даже незаконный сын Джулиано де Медичи, Джулио, был избран папой римским, под именем Климента VII. Новый папа, пережив осаду Рима 1527 года, объединился с императором Карлом V и выступил против Флоренции, осаждённой в 1530 г. и капитулировавшей в 1532 г. После возвращения Медичи Флоренция была объявлена Герцогством при Александре I и *Великим Герцогством* – после прихода к власти Козимо I (1569 г.)., сына Джованни делле Банде Нере, представителя побочной ветви рода, сумевшего присоединить Сиену к своим владениям. Период правления Козимо и его наследников Франческо I и Фердинандо I стал эпохой экономического и культурного расцвета города и его коренной перестройки. Великолепие города длилось вплоть до смерти в 1737 г. Джан Гастоне - последнего представителя семейства, , не оставившего наследников. Из династических соображений Тосканское Герцогство было передано во владение Франческо Сте-

фано ди Лорена, супругу Марии Терезы, австрийской императрицы. Таким образом, для Флоренции начался период тесных связей с домом Габсбургов-Лорена: вплоть до 1765 г. правление осуществлялось Советом Регентства, затем власть наследует Великий Герцог Пьетро Леопольдо, второй сын Марии Терезы – правитель-реформатор, известный своими иллюминистическими взглядами. После Французской революции Тоскана попадает под господство Франции, и правление переходит в руки Элизы Бачокки, сестры Наполеона. Наконец, вплоть до 1860 г., когда Великое Герцогство входит в состав Итальянского Королевства, возглавляемого Витторио Эмануэле II ди Савойя, во Флоренции правил ещё один представитель семьи Лорена – Фердинандо III. Будучи столицей Итальянского Королевства с 1865 по 1870 г., Флоренция пережила период кардинальной реконструкции, часто в ущерб важным историческим памятникам, таким, как старые крепостные стены; в это же время происходила трансформация маленьких ремесленных мастерских в крупные предприятия. В ходе Второй Мировой войны во Флоренции часто происходили столкновения между партизанскими формированиями и немецкими войсками; город также подвергся жестоким бомбардировкам, разрушившим многие старинные кварталы, но по воле судьбы пощадившим Понте Веккио – символ города, конструкция которого устояла и во время наводнения 1966 г.

Б. Поччетти и помощники, *План Ливорно*, Палаццо Питти, Зал Бона

Флорентийский художник, *Сожжение Савонаролы на площади Синьории*, Музей Сан Марко

О. Ваннини, Лоренцо в кругу художников, фрагмент, Палаццо Питти, Музей Серебра

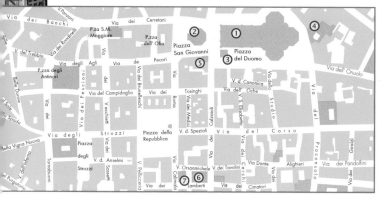

ПЛОЩАДЬ ДУОМО И ПЛОЩАДЬ САН ДЖОВАННИ.

Эти две площади являются религиозным центром города, так как именно здесь находятся три самых важных религиозных памятника города: ДУОМО (КАФЕДРАЛЬНЫЙ СОБОР), КОЛОКОЛЬНЯ ДЖОТТО и БАПТИСТЕРИЙ.

❶ БАЗИЛИКА САНТА МАРИЯ ДЕЛЬ ФЬОРЕ ИЛИ ДУОМО (церковь открыта для посетителей с 10.00 до 17.00).

Первое, что поражает в этом строении – это его грандиозность: 153 метра в длину, 38 в ширину на уровне нефов и 90 – вдоль трансепта. Его способность вместить одновременно 30.000 человек делают из него один из самых больших кафедральных соборов в мире.

Теперешнее здание собора было воздвигнуто на месте более древней церкви Санта Репарата (IV-V вв.), остатки которой были найдены в ходе раскопок 1966 г. в передней части нефа и которые можно посетить, пройдя через крипту, находящуюся справа от входа.

Постройка собора началась в 1296 году под руководством архитектора **А. ди Камбио**, одновременно с началом строительства Палаццо

делла Синьория. К руководству работами, которые велись с многочисленными перерывами в течение 140 лет (собор был освящён в 1436 г. папой Евгением IV), привлекались такие знаменитые архитекторы, как **Джотто** (с 1334 по примерно 1337 г.), **А. Пизано**, **Ф. Таленти** и **Л. Гини**. Но теперешний вид собор приобрёл только в 1887 г., когда архитектор **Э. Де Фабрис** завершил мраморную отделку фасада в неоготическом стиле.

Для ФАСАДА Де Фабрис использовал оригинальную идею А. ди Камбио, основанную на прославлении Мадонны. В самом деле, вдоль фасада над главным входом расположена *Галерея Апостолов* с центральной нишей, занятой скульптурой *Девы Марии с Младенцем*.

Ещё выше, в тимпане, над серией бюстов великих художников прошлого, помещён барельеф с изображением *Отца Небесного*, в то время, как в табернаклях пилястров установлены фигуры деятелей Церкви, жизнь которых была связана с историей постройки собора. Бронзовые ворота портала (конец XIX в., работа художников **А. Пассалья** и **Дж. Кассиоли**) изображают *Истории из жизни Марии*.

Внутреннее убранство собора выдержано в готическом стиле и имеет форму латинского креста, составленного из трёх нефов, отделённых друг от друга пилястрами, объединёнными арками. Мозаичный пол (авторство приписывается **Б. д'Аньоло**) выполнен из цветного мрамора.

В части собора напротив КАПЕЛЛЫ ДЕЛЛА КРОЧЕ над левой кафедрой находятся солнечные часы, служившие для астрономических опытов многих учёных того времени.

Внутренний ФАСАД состоит из трёх круглых витражей, исполненных по проекту Гиберти; весьма любопытны *часы* с головами пророков работы **П. Уччелло** (1443 г.). В нижней части расположены люнет с изображением *Коронованной Марии* работы **Г. Гадди** и гробница епископа *Антонино д'Орсо* (1321 г.).

В ПРАВОМ НЕФЕ представляют интерес бюст *Филиппо Брунеллески* (1446 г.) работы **Буджано**, *бюст Джотто* (1490 г.), выполненный **Б. да Майано** и великолепная *чаша для святой воды* в готическом стиле XIV в.

Роспись фресками ВНУТРЕННЕЙ ПОВЕРХНОСТИ КУПОЛА сценами Страшного Суда была начата в 1572 г. **Дж. Вазари** и завершена в 1579 г. **Ф. Дзуккари**.

В глубине бокового нефа находится дверь, ведущая на узкую лестницу, преодолев 463 ступеньки которой можно выйти на купол, откуда открывается великолепный вид на город.

Цветные витражи круглых окон подкупольного барабана были исполнены по эскизам известных художников Возрождения, – таких, как Л. Гиберти, П. Уччелло, Донателло и А. дель Кастаньо.

В ЦЕНТРЕ ВОСЬМИУГОЛЬНИКА находятся *мраморные хоры* и *главный алтарь*, законченные в 1555 г. **Б. Бандинелли** и **Дж. Бандини**; деревянное распятие над алтарём исполнено **Б. да Майано** (1497 г.).

В ЦЕНТРАЛЬНОЙ ТРИБУНЕ под алтарём находится бронзовая урна с прахом Св. Зенобия, епископа Флоренции (1430-1440 гг.) работы **Л. Гиберти**.

Три трибуны, расположенные вокруг центрального креста, разделены двумя ризницами: СТАРАЯ РИЗНИЦА (или Ризница Каноников)

и Новая Ризница (или Ризница Месс). Над входами в ризницы расположены люнеты из эмалированной терракоты работы **Л. делла Роббиа** (ок. 1444 г.), изображающие соответственно *Вознесение* и *Воскресение*. В четвёртом пролёте левого нефа находится картина **Д. ди Микелино**, изображающая *Данте с Флоренцией, Ад, Чистилище и Рай* (1465 г.). Ближе к выходу расположены две другие фрески, исполненные с использованием монохромной техники, изображающие двух выдающихся полководцев: *Джованни Акуто* работы **П. Уччелло** (1436 г.) и *Никколо да Толентино* кисти **А. дель Кастаньо** (1456 г.). Там же установлен бюст органиста *Антонио Скварчалупи*, изготовленный в 1490 г. **Б. да Майано**.

К более поздней эпохе относятся бюсты *Арнольфо ди Камбио* работы **У. Камби** (1843 г.) и *Эмилио де Фабрис* (**В. Консани**, 1887 г.). В левом нефе расположена восхитительная ниша, посвящённая Св. Зенобию.

Купол (*смотровая площадка)

Знаменитый купол **Ф. Брунеллески**, надгробная плита которого находится в крипте собора, имеет около 115 м в высоту и 45 м в диаметре и опирается на огромный восьмиугольный каркас барабанного типа, сформированный крестовинами из несущих рёбер и стягивающих перемычек.

Строительство купола началось в 1420 г., после того, как Брунеллески выиграл конкурс, объявленный двумя годами ранее, представив новаторский проект, предусматривавший сооружение двойного свода, не требующего дополнительных опор; в действительности, несущая структура купола состоит из 8 мраморных рёбер и кирпичной кладки, уложенной «ёлочкой», для придания конструкции большей прочности и надёжности.

Строительные работы длились вплоть до 1436 г., и в этом же году Брунеллески приступил к проектированию фонаря, который должен был венчать купол. Тем не менее, сооружение фонаря было закончено под руководством **Верроккио** только в 1471 г., когда на вершине купола засиял позолотой бронзовый шар.

Дуомо:

Дж. Вазари и Ф. Цуккари, *Страшный Суд*, фрагмент

Д. ди Микелино, *Данте с Флоренцией, Ад, Чистилище и Рай*

Буджано, *Бюст Филиппо Брунеллески*

П. Уччелло, *Памятник Джованни Акуто*

Ризница Месс

❷ Баптистерий

Это здание восьмиугольной формы, образец римской архитектуры XI в., имеет около 26 м в диаметре, облицовано зелёным и белым мрамором и покрыто пирамидальной крышей с венчающим её фонарём, образованным из колонн. Посвящено Св. Иоанну Крестителю и служило городским кафедральным собором вплоть до 1128 г.; именно здесь были крещены многие выдающиеся граждане Флоренции, в том числе Данте.

Внутренности баптистерия представляют собой одно большое помещение, с потолком, украшенным разноцветной мраморной облицовкой и позолоченной мозаикой в византийском стиле. Мозаичные композиции представляют: *Небесные Иерархии, Истории Бытия, Истории Марии и Иисуса, Истории Св. Иоанна* и сцены *Страшного Суда*.

Представляет интерес мраморная купель 1371 г., приписываемая пизанской школе скульптуры, в то время, как над *Склепом антипапы Джованни XXIII* работали **Донателло** и **Микелоццо**. Через решётку в полу видны остатки стен и полов, облицованных мозаикой, жилища древнеримской эпохи.

Здание имеет три входа, закрытых бронзовыми дверями; двери, обращённые на юг, работы **А. Пизано** (1336 г.), состоят из 28 панелей с рельефами на темы: *Жития Иоанна Крестителя, Основные и Теологические Добродетели*; две другие двери изготовлены **Гиберти** в период с 1403 по 1452 г. Северная дверь, называемая *Порта делла Кроче (Врата Распятия)*, украшена барельефами 20 сцен из *Нового завета* и восемью панелями с изображениями *Отцов Церкви* и *Евангелистов*.

С восточной стороны находится *Порта дель Парадизо (Врата Рая)*, прозванная так с лёгкой руки Микеланджело. Для 10 дверных панелей Гиберти использовал эффект перспективы, созданный с использованием как бы сплющенного рельефа из позолоченной бронзы. Барельефы изображают сцены из Ветхого Завета, обрамлённые рамкой с 24 нишами, в которые помещены изображения библейских персонажей, и 24 выступами с головами художников, среди которых находит-

Венецианские мастера мозаики, мозаика свода Баптистерия, фрагмент

Музей Опера Санта Мария дель Фьоре

А. ди Камбио, Мадонна с благославляющим Младенцем

Микеланджело, *Пьета*

Донателло, *Кающаяся Магдалина*

ся автопортрет мастера (изображён четвёртым сверху в правом углу левой створки, уже в зрелом возрасте и лысым).

❸ Колокольня Джотто

Справа от кафедрального собора находится Колокольня, прозванная «Джотто» по имени автора проекта, приступившего к её строительству в 1334 г. Вход в здание, имеющее в сечении форму квадрата и высотой более 84 м, находится с задней стороны собора; преодолев 414 ступенек, посетители выходят на террасу, с которой открывается незабываемый *вид города. Джотто сумел закончить первую часть цоколя. Строительство было закончено под руководством Ф. Таленти в 1359 г. Отделка представляет собой сцены, изображающие *Планеты, Добродетели, Ремёсла, Благородные Искусства* и *Таинства.*

❹ Музей Опера Санта Мария дель Фьоре (площадь Дуомо, 9)

В Музее, действующем с 1891 г., хранятся скульптуры, картины и предметы, бывшие в различные эпохи частью интерьера Баптистерия, Кафедрального Собора и Колокольни.

В Зале Старинного Фасада Дуомо выставлены произведения искусства, собранные в ходе слома старинного фасада в 1587 г., принадлежащие, кроме прочих, таким мастерам, как **А. ди Камбио**, **Донателло** и **Н. ди Банко**.

Представляют интерес два Зала Брунеллески с деревянными макетами купола, посмертной маской художника и инструментами для постройки купола. В витринах экспонируются *миниатюрные партитуры* богослужений 1525 г., ювелирные изделия и литургические облачения.

Этажом выше находится зал, в котором выставлена *Пьета* **Микеланджело** (1553 г.), которая, по замыслу художника, должна была украсить его погребальную капеллу в Риме, но в результате различных перипетий оказалась в 1980 г. во флорентийском музее.

В зале Хоров посетители могут полюбоваться хорами работы

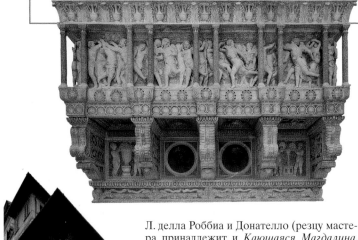

Л. делла Роббиа и Донателло (резцу мастера принадлежит и *Кающаяся Магдалина*, деревянная статуя 1455 года). Отсюда можно попасть в Зал Облицовок Колокольни Джотто и Зал Алтаря, где хранятся панели работы Гиберти, украшавшие в своё время Врата Рая.

❺ Лоджия Бигалло (угол улицы Кальцайоли и площади Дуомо)
Проект здания в позднеготическом стиле был заказан Обществом Милосердия художнику **А. Арнольди**. В настоящее время здание, заложенное в середине XIV века и первоначально предназначенное для размещения служб Братства, отведено под экспозиции Музея дель Бигалло, – коллекции произведений искусства, заказанных Капитанами Бигалло в период с XIV по XVIII век, среди которых выделяется *Мадонна Милосердия* 1342 г., на которой запечатлён самый старинный из известных ныне видов Флоренции. Снаружи здание облицовано мрамором с барельефами на библейские темы.

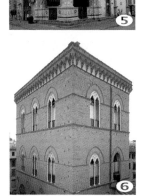

❻ Церковь Орсанмикеле (вход с улицы Арте делла Лана)
Имя церкви, расположенной напротив церкви Сан Карло, берёт начало от имени старинной молельни Сан Микеле ин Орто. Впоследствии, в 1290 г., на её месте архитектор **А. ди Камбио** возвёл здание с лоджией, предназначенное под зерновой рынок. В 1380 г. здание было приспособлено под

церковь и внешние арочные пролёты были замурованы. Таким образом образовались ниши, где было решено установить мраморные и бронзовые статуи святых-покровителей ремёсел, исполненные в период с XV по XVII век самыми известными флорентийскими художниками.

Отметим, среди прочих, скульптурные изображения *Св. Матфея*, *Св. Стефана* и *Св. Иоанна Крестителя* работы **Л. Гиберти**, *Св. Георгия* (оригинал скульптуры выставлен в Музее Барджелло), *Св. Петра* и *Св. Марка* работы **Донателло**, *Св. Луки* **Джамболоньи**, *Св. Фомы* **Верроккио**, *Четверых Венценосных Святых* работы **Н. ди Банко**. Часть статуй представляет собой копии оригинальных скульптур, хранящихся в помещениях Музея, оборудованного с недавних пор на верхних этажах церкви.

Внутри здание имеет прямоугольную форму и разделено на два нефа, опирающихся на колонны, расписанные в XIV веке фресками с изображениями покровителей Младших Цехов и сцен из Ветхого и Нового Завета.

В глубине правого нефа расположен восхитительный *Табернакль* работы **А. Орканья**, изготовленный между 1355 и 1359 гг. и имеющий форму балдахина, украшенного позолотой и цветным мрамором. В центр алтаря помещён образ *Мадонны делле Грацие*, написанный **Б. Дадди** в 1347 г. Основание окружено сценами на темы жизни и добродетелей Марии; на оборотной стороне произведения можно прочитать автограф автора.

Некоторые архитектурные элементы напоминают нам, что здание предназначалось для торгов зерном: мера зерна на двери, обращённой на север, а также отверстия для выгрузки зерна с северной стороны.

❼ Палаццо Арте делла Лана (Цеха Шерстянщиков, 1308 г.)

Непосредственно примыкающее к церкви Орсанмикеле, с которой сообщается через коридор, это здание служило резиденцией самого богатого из семи Старших Цехов; строение представляет собой дом-башню, и в настоящее время принадлежит Обществу Данте, о чём свидетельствует фреска на наружной стене, изображающая Поэта.

2. ПЛОЩАДЬ СИНЬОРИИ и УФФИЦИ

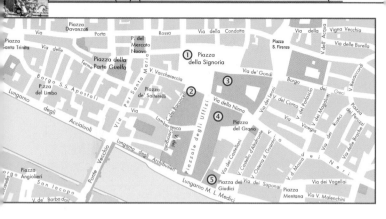

❶ Площадь Синьории

Эта площадь до сих пор считается политическим центром города. Слева посередине установлена бронзовая конная статуя Козимо I (1594 г.) фламандского мастера Джамболонья; на площади расположен также мраморный фонтан (1575 г.) работы Б. Амманнати с Нептуном (эта скульптура прозвана в народе «Иль Бьянконе») в колеснице, в которую запряжены морские коньки; у его ног по краям бассейна расположились бронзовые сатиры и нимфы. Круглая гранитная мемориальная плита у фонтана указывает место, где в 1498 г. был сожжён монах – обличитель флорентийских нравов Савонарола.

У лестницы, ведущей во дворец, установлена фигура льва – одного из символов города, именуемая *Мардзокко*; в своё время несколько живых экземпляров львов постоянно держали с тыльной стороны дворца. Оригинал скульптуры (1438 г.) принадлежит **Донателло** и хранится в Музее Барджелло. Затем взорам посетителей предстаёт недавно исполненная копия *Юдифи и Олоферна*, – брон-

зовой скульптуры работы **Донателло** (1460 г.), оригинал которой украшает дворцовый зал Лилий. Статуя *Давида* – это тоже копия, в то время, как оригинал – творение Микеланджело – хранится в Музее Академии. Замыкает череду восхитительных скульптурных работ группа *Геркулес и Как* работы **Б. Бандинелли** (1534 г.).

❷ ЛОДЖИЯ ЛАНЦИ

Именуемая также «Лоджия Синьории», была задумана как место для собраний и публичных церемониалов во времена Великого Герцогства; была построена Б. ди Чионе и С. Таленти по эскизам А. Орканья в период между 1376 и 1382 гг. После падения Республиканского правления под крышей лоджии были размещены ландскнехты Герцога Алессандро I де Медичи, и в результате за лоджией осталось презрительное название «Ланци». Козимо I превратил лоджию из места политических собраний в место встреч художников и скульпторов.

Строение в позднеготическом стиле украшено рельефными медальонами с символами Республики, изображающими основные и теологические Добродетели. Справа налево, в первом ряду установлены: мраморные скульптурные группы *Похищение сабинянок* (1583 г.) и *Геракл и Кентавр* (1599 г.) работы **Джамболонья**, затем копия греческой статуи *Аякс с телом Патрокла*, в то время, как скульптура *Похищение Поликсены* относится к более поздней эпохе и была выполнена **П. Феди** в 1866 г.

Под левой аркой установлен шедевр **Б. Челлини** – бронзовый *Персей*, демонстрирующий голову Медузы (1554 г.). На перевязи мифического героя выгравированы имя автора и дата. Вдоль задней стены установлены шесть женских статуй римской эпохи.

❸ ПАЛАЦЦО ВЕККИО ИЛИ СИНЬОРИИ

Грандиозный параллелепипед Дворца Приоров (называемого также «Дворцом Синьории» или «Старым Дворцом») сразу же приковывает внимание туриста, попавшего на площадь Синьории.

Задуманный в 1293 г. как резиденция Приоров, был заложен А. ди Камбио в 1299 г. и служил резиденцией Синьории (правящей семьи) начиная с XV века; получил название Веккио (Старого), когда Козимо I в 1565 г. решил перенести двор во Дворец Питти. С 1865 по 1870 г., когда Флоренция была столицей Италии, служил местом собраний итальянского парламента, в то время, как с 1872 г. здесь размещаются учреждения городского муниципалитета.

Здание, по форме напоминающее крепость, располагает величественной 94-метровой колокольней (1310 г.); облицовано рустом из твёрдого камня; фасад здания насчитывает три этажа, два из которых украшены мраморными флорентийскими окнами. В верхней части здание украшено арками, в которые вписаны девять гербов Флорентийской Республики, над которыми построена балюстрада, защищённая зубцами гвельфского типа.

Дворец много раз подвергался расширениям и перестройкам: после 1453 года, когда работами руководил Микелоццо, последовала более серьёзная реконструкция 1558 года под управлением Вазари и, наконец, в 1588 г. Буонталенти внёс очередные улучшения.

Именно Вазари принадлежит проект оформления внутреннего дворика, украшенного гротесками и настенными росписями с видами городов Империи Габсбургов, выполненными в 1565 г. к бракосочетанию между Франческо I де Медичи и Джованной Австрийской. В центре дворика расположен фонтан со скульптурой работы **Верроккио** (1476 г.) *Амур с дельфином*. Из первого дворика можно пройти во двор таможни (делла догана), где хранится флюгер с изображением льва и лилии, в своё время венчавший башню дворца.

Зал пятисот – Поднявшись по одной из просторных лестниц, построенных Вазари по обе стороны внутреннего дворика, посетитель попадает в знаменитый зал, оформленный под руководством **Кронака** в 1495 г. Помещение, 53 метра в длину и 22 метра в ширину, в соответствии с потребностями Республиканского правительства, предназначалось для собраний Большого Народного Совета.

С 1563 г., уже в эпоху правления Козимо I, зал был приспособлен для торжественных приёмов, и Вазари получил заказ на новую рос-

Палаццо Веккио: Первый двор
Зал Пятисот
Кабинет Франческо I

пись стен. Художник, с помощью других мастеров, украсил стены и потолок салона фресками, изображающими *Триумфы Козимо I*, аллегорическими картинами городских кварталов и провинций, завоёванных Великим Герцогством, сценами из истории Флоренции и эпизодами военных баталий против Пизы и Сиены.

Трибуна аудиенций (северная стена) – расположена на возвышении и была предназначена для герцогского трона; в нишах установлены мраморные статуи, некоторые из которых работы **Бандинелли**: слева *Козимо I*, за ним *Джованни делле Банде Нере, Лев X* и *Алессандро де Медичи*. Около стены, противоположной входу, установлена скульптурная группа *Победа* (1534 г.) **Микеланджело**, изготовленная для надгробия папы Юлия II.

Кабинет Франческо I (доступ через дверь слева от входа) – был оформлен **Вазари** с учениками в 1572 г. и предназначался для научных изысканий принца. Дверцы встроенных шкафчиков, в которых любознательный Франческо хранил свои коллекции, украшены аллегорическими фигурами *Прометея, Четырёх элементов* и различных видов деятельности человека. В углах потолка изображены аллегории на тему настроений человека. Тондо в люнетах представляют собой портреты *Элеоноры Толедской* и *Козимо I* работы **Бронзино**. В стенных нишах установлены статуэтки мифологических божеств.

За одной из панелей скрыт также *Тезоретто* – письменная консоль Герцога, заказанная Козимо I в 1559 г. для хранения его личных памятных предметов и украшенная **Вазари** символами четырёх Евангелистов.

Квартира Льва X (вход из зала Пятисот) – состоит из 6 комнат, украшенных картинами Вазари (1562 г.), воспевающими величие семьи Медичи.

Зал Льва X расписан фресками на темы из жизни кардинала Джованни, сына Лоренцо де Медичи, взошедшего на папский престол в 1513 г.; мраморные бюсты изображают представителей семьи Медичи. Другие помещения, занятые различными службами флорентийского муниципалитета, обычно закрыты для посетителей.

19

В их числе: зал КЛЕМЕНТА VII, украшенный фреской *Осада Флоренции 1529-1530 гг.*, зал ДЖОВАННИ ДЕЛЛЕ БАНДЕ НЕРЕ, зал КОЗИМО I, зал ЛОРЕНЦО ВЕЛИКОЛЕПНОГО и зал КОЗИМО СТАРШЕГО; залы украшены портретами и сценами из жизни исторических персонажей, давших им свои имена.

КВАРТИРА ЭЛЕМЕНТОВ (вход из зала Льва X) – насчитывает 5 залов, оформленных по проекту Дж. Б. дель Тассо (1550 г.) и впоследствии украшенных тем же Вазари с помощниками: первый зал, называемый ЗАЛОМ ЭЛЕМЕНТОВ, украшен росписями по мотивам четырёх элементов и мраморным камином, спроектированным Амманнати. Из ЗАЛА САТУРНА открывается прекрасная панорама города (*смотровая площадка).

Достойны упоминания и другие залы: ЗАЛ ГЕРАКЛА, где выставлены картины *Подвигов Геракла* и секретер из чёрного дерева с полудрагоценными камнями; ЗАЛ ЮПИТЕРА, украшенный флорентийскими гобеленами шестнадцатого века; здесь же нашёл пристанище оригинал *Амура с дельфином* работы Верроккио и, наконец, ЗАЛ ЦЕРЕРЫ с гобеленами шестнадцатого века и картинами.

Комнаты Элеоноры Толедской (вход через балкон, выходящий на Зал Пятисот) – Потолки ЗЕЛЁНОГО ЗАЛА украшены гротесками **Р. дель Гирландайо**, следует капелла с фресками **Бронзино**, написавшего также прекрасную алтарную картину в период между 1540 и 1545 гг. Упомянём также зал САБИНЯНОК, зал ЭСТЕР с мраморным умывальником XV в. и флорентийскими гобеленами, зал ПЕНЕЛОПЫ и зал ГВАЛЬДРАДЫ, – спальня, посвящённая теме семейной верности и украшенная сценами флорентийских игрищ и празднеств работы фламандского мастера Дж. Страдано.

КАПЕЛЛА ПРИОРОВ или СИНЬОРИИ – построена **Б. д'Аньоло** (1514 г.) и расписана библейскими сценами работы **Гирландайо**.

ЗАЛ АУДИЕНЦИЙ (вход через мраморную дверь Капеллы) – построенный **Б. да Майано**, поражает красотой позолоченного потолка, составленного из восьмиугольных кессонов с гербом Флорентийского Народа работы **Дж. да Майано** (1478 г.).

Зал Лилий – отличается великолепным мраморным порталом работы **Дж. и Б. да Майано** (1481 г.) с резными створками, изображающими Данте и Петрарку. Деревянный потолок украшен золочёны-
ми лилиями на голубом фоне – символом семьи д'Анджо. В этом
зале установлена бронзовая статуя *Юдифь и Олоферн* (ок. 1460 г.),
шедевр **Донателло**.

Среди других залов упомянём Гардероб или Зал Географических
Карт, – место, где Медичи хранили самые ценные предметы. Спус-
каясь в Комнаты в Мезонине, посетитель попадает в три зала, отве-
денные под *коллекцию Лезера* (открыта в определённые периоды
года), – собрание картин и скульптур тосканской школы XIV-XVI
веков, переданное в 1928 г. в дар Флорентийскому Муниципалитету
американским художественным критиком Чарльзом Лезером.

❹ Уффици

По повелению Козимо I де Медичи в 1560 г. по соседству с Палаццо Веккио выросли Уффици – здание, предназначенное для объединения 13 административных служб города под одной крышей.
Строительство было поручено Вазари, решившего использовать
территорию, простирающуюся в сторону реки Арно. Архитектор
снёс здания, занимавшие отведенный участок (в том числе и анти-
чную церковь Св. Пьера Скераджо). Проект Вазари предусматривал создание двух длинных галерей с портиками, поддерживаемыми
колоннами в дорическом стиле, ведущих от Палаццо Веккио до Лоджии Синьории и соединённых великолепной лоджией со стороны
Арно (*смотровая площадка).

В глубине арки установлена *статуя Козимо I* (1585 г.) работы скульптора **Джамболонья**, в то время, как в колонных нишах расставлены
статуи прославленных тосканских деятелей.

Работы были закончены в 1580 г. под руководством А. Париджи и Б.
Буонталенти, которые по желанию Франческо I, наследника Козимо I, преобразовали Уффици в художественную галерею. С этой целью была построена Трибуна (1584 г.), в которой Великий Гёрцог вы-

ставил свои сокровища. Административные службы города были переведены в другие здания, а в освобождённых залах были выставлены статуи греческой и римской эпох. Преемники флорентийского престола приложили усилия для расширения семейной коллекции, приобретая скульптуры, математические инструменты и разнообразные диковинки. В семнадцатом веке Фердинандо II, женившись на Виктории делла Ровере, получил в приданое богатейшее собрание художественных произведений, среди которых были картины Рафаэля, Тициана и Пьеро делла Франческа. Последующие пополнения коллекции были сделаны кардиналом Леопольдо, Козимо II и Пьетро Леопольдо. Важным для судьбы коллекции оказался «Семейный договор» (1737 г.), заключённый между последней представительницей семьи Медичи и семейством Лорена, в соответствии с которым собрание Медичи признавалось неразрывно связанным с Флоренцией и должно было быть доступным широкой публике.

Входной атриум и вестибюль – На первом этаже можно увидеть остатки постройки церкви Св. Пьера Скераджо и фрески, изображающие *Знаменитостей* (середина XV в.) работы **А. дель Кастаньо**, в том числе Данте, Петрарка и Боккаччо; на правой от входа стене находится картина **К. Кальи** *Битва при Сан Мартино* (1936 г.). Слева выставлено *Благовещение* (1481 г.) **Боттичелли**.

Кабинет Рисунков и Эстампов (второй этаж) – Богатейшее собрание рисунков и эстампов итальянских и зарубежных художников XV-XX вв. Здесь хранятся также оригиналы произведений Леонардо, Рафаэля, Микеланджело.

Третий этаж – Потолок украшен гротесками флорентийских художников XVI века.

Зал 1 – Здесь выставлены скульптурные работы, относящиеся преимущественно к римской эпохе, среди которых выделяются копия *Дорифора* Поликлета и *Атлет*.

Зал 2 тринадцатого века и Джотто – В зале, оформление которого воссоздаёт атмосферу средневековой церкви, хранятся, помимо красивейших распятий, работы художников тосканской школы: *Маэста д'Оньисанти* (ок. 1310 г.) и *Полиптих из Бадии* (ок. 1300 г.) **Джотто**, *Величие Св. Троицы* (1280-1290 гг.) **Чимабуэ** и *Мадонна Ручеллаи* **Д. ди Буонинсенья** (ок. 1285 г.).

Зал 3 Сиенстй школы XIV века – В зале, посвящённом ученикам Дуччо и Джотто, выставлены *Благовещение* работы **С. Мартини –** прекрасный триптих на золотом фоне 1333 года, *Введение во храм* (1342 г.) и *Истории Св. Николы из Бари* (ок. 1330 г.) – творения **А. Лоренцетти**, в то время, как кисти **П. Лоренцетти** принадлежат *Алтарная картина Блаженной Простоты* (ок. 1340 г.) и *Мадонна во Славе с Младенцем и ангелами* (1340 г.?).

Зал 4 Флорентийской живописи XIV века – Здесь выставлены картины последователей Джотто, среди которых отметим *Св. Цецилию и истории её жизни* (ок. 1304 г.), приписываемая **Маэстро делла Св. Цецилия**; кисти **Т. Гадди** принадлежит *Мадонна на троне, ангелы и святые* (1355 г.), в то время, как работы **Б. Дадди** *Мадонна с Младенцем и Святые Матфей и Никола* (1328 г.) и *Полиптих Св. Панкратия*. Здесь же выставлены *Распятие* (ок. 1350 г.) работы **Нардо ди Чионе** и *Триптих Св. Матфея* **Андреа ди Чионе**, больше известного под именем **Орканья**. Но более всего близка по стилю к работам Джотто *Пьета* (вторая половина XIV века) художника **Джоттино**.

Залы 5-6 интернациональной готики – Эти залы посвящены итальянским художникам

23

П. Уччелло, *Битва при Сан Романо*

П. делла Франческа, *Диптих Гёрцогов Урбинских*

Мазаччо и Мазолино, *Св. Анна Меттерца*

Филиппино Липпи, *Поклонение Волхвов*

Филиппо Липпи, *Мадонна с Младенцем и двумя ангелами*

Боттичелли, *Возвращение Юдифи в Ветилуй*

конца XIV и начала XV века, – позднеготического периода, прозванного также «цветущим» благодаря богатству декоративных элементов. Среди множества выставленных картин выделяются: *Распятие* **А. Гадди**, сына Таддео, *Мадонна с Младенцем* **Я. Беллини**; *Поклонение Волхвов* (1423 г.) и *Четверо святых Полиптиха Кваратези* **Дж. да Фабриано**, – настоящий триумф золотого цвета и цветистых декораций, заполнивших задний план и даже раму картины; *Коронование Девы* (1414 г.) и *Поклонение Волхвов* (ок. 1420 г.) **Л. Монако**.

Зал 7 раннего Возрождения – Здесь выставлены известные работы тосканских художников начала XV века, среди которых нельзя не отметить **П. делла Франческа** со своим знаменитым *Диптихом Гёрцогов Урбинских* – портретами Федерико да Монтефельтро и его жены Баттисты Сфорца (ок. 1472 г.), на обратной стороне которого была найдена аллегория *Гёрцоги во славе*, выполненная в фламандском стиле; *Битва при Сан Романо* (расхождения в датировании) – творение **П. Уччелло**, предназначенное для личных покоев Козимо Старшего; *Мадонна с Младенцем* **Мазаччо** и *Св. Анна Меттерца* (ок. 1424 г.), – совместная работа **Мазаччо** и **Мазолино**; близки по стилю к Мазаччо *Коронование Девы* (ок. 1435 г.) и *Мадонна с Младенцем* **Б. Анджелико**. Ещё один шедевр – *Алтарная картина Св. Лучии де Маньоли* (ок 1445 г.) – принадлежит кисти **Венециано**.

Зал 8 Липпи – Зал посвящён монаху-кармелиту и его последователям; выделяются работы Учителя *Алтарная картина Новициато* (ок. 1445 г.), пределла *Алтарного образа Барбадори*, великолепная *Коронование Девы Марии* (1447 г.), две картины *Поклонение Младенцу* и ангельски нежная *Мадонна с Младенцем и двумя ангелами* (ок. 1465 г.), которые вдохновят Боттичелли. Среди учеников упомянём сына художника **Филиппино Липпи** и его *Поклонение Волхвов* (1496 г.), а также *Св. Иероним и Благовещение и Мадонна с Младенцем и святыми* **А. Бальдовинетти**.

Зал 9 Поллайоло – Зал посвящён братьям **Антонио** и **Пьеро дель Поллайоло**. Выделяются обстоятельный *Женский портрет* (ок. 1475 г.) кисти Антонио и его же *Подвиги Геркулеса* (ок. 1475 г.), в то время, как *Портрет Галеаццо Мария Сфорца* (1471 г.) и *Шесть Добродетелей* – работы Пьеро предназначались для Торгового Суда. *Стойкость* **Боттичелли** была написана в 1470 г.; ему же принадлежат другие работы раннего периода, в том числе и *Истории Юдифи* (ок. 1472 г.).

Залы 10-14 Боттичелли – Много места отведено работам выдающегося мастера; здесь выставлены его работы с 1445 по 1510 г., а также картины других тосканских и фламандских авторов конца XV века.

Присутствуют такие шедевры, как *Св. Августин в келье, Мадонна в розарии* и *Портрет молодого человека с медалью* (ок. 1475 г.). В начале 80-х годов **Боттичелли** обратился к античной мифологии, создав несколько аллегорических сюжетов, среди которых нельзя не отметить *Палладу с Кентавром*, но в первую очередь – *Весну* и *Рождение Венеры*.

Восхищают также *Мадонна Манификат* (имя происходит от названия изображённой книги) и *Мадонна с гранатом* (ок. 1487 г.), взятая в инкрустированную раму, *Алтарный образ Св. Варнавы* (ок. 1487 г.), *Мадонна, прославляемая серафимами* (ок. 1470 г.) и *Клевета* (ок. 1495 г.).

В этих же залах выставлены картины других художников, среди которых выделяются *Триптих Портинари* (ок. 1478 г.) фла-

мандца **Г. ван дер Гуса** и *Поклонение Волхвов* **Д. Гирландайо**.

Зал 15 Леонардо – Зал, посвящённый **Леонардо** и художникам тосканской и умбрской школ конца XV века.

Знаменитый художник представлен своей ранней работой *Благовещение* (ок. 1472 г.) и незаконченной *Поклонение Волхвов* (1481 г.), работа над которой прервалась по причине его отъезда в Милан; в картине *Крещение Христа* (ок. 1475 г.) его учителя **А. дель Верроккио** видна рука Леонардо в фигуре ангела и в заднем плане картины. Здесь же выставлены *Распятие с Марией Магдалиной* **Л. Синьорелли**; *Распятие со святыми* **Перуджино**, *Поклонение пастухов* **Л. ди Креди** и *Воплощение Христа* (ок. 1505 г.) **П. ди Козимо**.

Залы с 16 по 24 составляют самую старинную часть Галереи.

Зал 16 географических карт – Получил название благодаря настенным фрескам **С. Буонсиньори**, представляющим собой три карты Тосканы (1589 г.). Потолок украшен девятью холстами **Я. Дзукки**.

Зал 17 Гермафродита – Здесь установлена мраморная скульптура (копия римского периода) *Спящего Гермафродита*.

Зал 18 Трибуна – Комната восьмиугольной формы, построенная Буонталенти и оформленная Поччетти, предназначалась для хранения сокровищ Медичи.

Восхищение вызывают как статуи классической эпохи – *Венера Медичи, Аполлино* и *Арротино*, так и картины, в большинстве своём флорентийской школы XVI века; в том числе знаменитые портреты эпохи Медичи: *Бартоломео Панчатики, Лукреция Панчатики, Мария де Медичи, Принцы Джованни и Бия Медичи* работы **Бронзино**, *Лоренцо Великолепный* (1534 г.) **Вазари** и *Козимо Старший* **Понтормо**.

Привлекают внимание прекрасные *Ангел музыкант* (1521 г.) **Россо Фиорентино**, *Мадонна у колодца* (ок. 1518 г.) **Франчабиджо**, *Дама с петраркино* **А. дель Сарто**; кисти Бронзино принадлежит также портрет *Элеоноры Толедской с сыном Джованни*; отметим, что дама впоследствии была похоронена в платье, запечатлённом художником. В центре комнаты установлен столик из полудрагоценных камней, изготовленный в первой половине XVII в.

Зал 19 Луки Синьорелли и Перуджино – Отметим *Мадонну с Младенцем* (ок. 1490 г.) и *Святое Семейство* **Синьорелли**, *Портрет Франческо делле Опере* и *Монахи* **Перуджино**. Здесь же выставлены *Благовещение* и *Венера* **Л. ди Креди**, *Освобождение Андромеды* (ок. 1510 г.) **П. ди Козимо** и *Портрет Еванджелиста Скаппи* **Ф. Франча**.

Зал 20 Дюрера – Здесь хранятся произведения немецких художников XV-XVI вв. Отметим картины **А. Дюрера** *Портрет отца* (1490 г.), *Поклонение волхвов* (1504 г.), *Мадонна с Грушей* (1526 г.) и *Св. Филипп*; кисти **Л. Кранаха** принадлежат портреты *Саксонских курфюрстов* и *Лютера*. Достойны упоминания потолочные гротески со сценами *Спектаклей во Флоренции*.

Зал 21 Джамбеллино и Джорджоне – Выделяются картины венецианских мастеров: *Испытание огнём Моисея, Суд Соломона* и портрет *Капитана и оруженосца* **Джорджоне**, *Священная Аллегория* и *Оплакивание Мёртвого Христа* работы **Джамбеллино**, *Мадонна с Младенцем* **Чима да Конельяно** и, наконец, *Св. Доминик* **К. Тура**.

Зал 22 фламандских и немецких мастеров Возрождения – Здесь собраны произведения таких художников, как **А. Альтдорфер** – *Истории Св. Флориана* (ок. 1530 г.), **Г. Голбейна** – *Портрет Сэра Ричарда Саутвелла* (1536 г.) и *Автопортрет*, **Г. Давида** – *Поклонение Волхвов*, несколько картин **Х. Мемлинга**, среди которых выделяется *Портрет Бенедетто Портинари* (1487 г.) и *Портреты неизвестного и его жены* **Я. Ван Клеве**.

Зал 23 Мантенья и Корреджо – В зале выставлены работы **А. Мантенья**: *Мадонна делле Каве* (1466 г.), *Портрет кардинала Карло де Медичи* и *Триптих*, а также картины **Корреджо**: *Мадонна с Младенцем во славе* (1515 г.) и *Отдых по пути в Египет* (ок. 1517 г.).

Зал 24 Кабинет Миниатюр – Во времена Медичи зал был отведён под коллекции драгоценных и полудрагоценных камней; в настоящее время здесь собраны миниатюры итальянских и зарубежных художников XV-XVIII вв.

Во втором и третьем коридорах установлены скульптуры римской эпохи, среди которых отметим *Амур и Психея*, *Сидящая нимфа* и *Леда* (*смотровая площадка)

Зал 25 Микеланджело и флорентийская школа – Зал посвящён творчеству знаменитого мастера и другим флорентийским художникам XVI в. Кисти **Микеланджело** принадлежит великолепная картина *Тондо Дони* (ок. 1506-1508 г.), – первая работа ху-

Микеланджело,
Тондо Дони

Рафаэль,
Автопортрет

Тициан, *Венера Урбинская*

дожника, авторство которой не вызывает сомнений, исполненная по заказу Аньоло Дони по случаю его бракосочетания. Картина обрамлена чудом сохранившейся до наших пор оригинальной рамой с инкрустациями.

В этом же зале выставлены *Благовещение* **Фра Бартоломео** и *Видение Св. Бернардо* (1507 г.), в то время, как **М. Альбертинелли** принадлежит *Посещение Мадонной Св. Елизаветы* (1503 г.).

Зал 26 Рафаэля и Андреа дель Сарто – Здесь собраны многие произведения **Рафаэля**, среди которых – знаменитая *Мадонна со щеглёнком* (1506 г.), *Автопортрет* художника, *портреты Герцогов Урбинских, Елизаветы Гонзага и Гвидобальдо да Монтефельтро*, и портрет *Льва X с двумя кардиналами*.

Мадонна с Гарпиями (1517 г.) и *Св. Иаков с юношами* принадлежат кисти **А. дель Сарто**.

Зал 27 Понтормо и Россо Фиорентино – Особый интерес вызывают работы **Понтормо**: *Вечеря в Эммаусе, Портрет Марии Салвиати* и *Рождение Св. Иоанна*. Здесь же выставлены некоторые работы **Бронзино**, ученика Понтормо: *Оплакивание мёртвого Христа* и *Святое Семейство Панчатики*. Кроме того, в зале хранятся картины **Р. Фиорентино**, среди которых упомянём *Портрет девушки*.

Зал 28 Тициана – Здесь собраны шедевры **Тициана** – основателя венецианской школы живописи XVI в. Прекрасна его *Венера Урбинская* (1538 г.) ; среди других работ упомянём раннюю *Флору* (ок. 1520 г.), портреты Урбинских герцогов *Элеоноры Гонзага и Франческо Мария делла Ровере, портрет папы Сикста IV, портрет Больного* и *портрет Мальтийского рыцаря*.

В этом же зале выставлены работы **С. дель Пьомбо** – друга и подражателя Микеланджело; его кисти принадлежат *Женский портрет* и *Смерть Адониса* (ок. 1511 г.), а также картины **Я. Пальма Старшего** – венецианского мастера, написавшего *Юдифь* и *Святое Семейство*.

Зал 29 Доссо и Пармиджанино – В зале выставлены произведения **Пармиджанино**, художника-маньериста и ученика Корреджо: *Мадонна с Младенцем и Святыми* (1530 г.), *Мужской портрет* и оставшаяся незавершённой *Мадонна с длинной шеей*, а также картины **Д. Досси**: *Отдых на пути в Египет, Колдовство* и *Портрет Воина*.

Зал 30 эмилианских художников – Нельзя не отметить **Л. Маццолино** с его *Мадонной с Младенцем и святыми* (1523 г.) и *Благовещение* работы **Гарофало**.

Зал 31 Веронезе – В зале собраны картины **Веронезе** – венецианского художника второй половины XVI века, черпавшего вдохновение в религиозных сюжетах: *Святое Семейство со Св. Варварой и Св. Иоанном Крестителем* (ок. 1564 г.), *Благовещение, Мученичество Св. Джустины, Эстер перед Ахашверошем*; здесь же выставлена работа **Вичентино** *Посещение Мадонной Св. Елизаветы*.

Зал 32 Бассано и Тинторетто – Зал посвящён творчеству **Тинторетто**; отметим его работы *Адам и Ева перед Господом, Самаритянка у колодца, Леда и лебедь* (ок. 1570 г.) и портреты *Венецианского Адмирала, Якопо Сансовино* и *Мужчины с рыжей бородой*. Здесь же экспонируется картина **Бассано** *Две собаки*.

ЗАЛ 33 КОРИДОР ШЕСТНАДЦАТОГО ВЕКА – В зале собраны картины итальянских и зарубежных художников конца XVI века. Среди зарубежных авторов отметим **Ф. Клуэ** с *Франсуа I Французский верхом* (ок. 1540 г.), итальянская живопись представлена работами: *Венера и Амур* **А. Аллори**, *Кузница Вулкана* **Вазари** и *Аллегория Счастья* **Бронзино**.

ЗАЛ 34 ЛОМБАРДСКОЙ ШКОЛЫ XVI ВЕКА – Здесь собраны произведения **Л. Лотто** – художника, близкого к немецкой художественной школе, писавшего исключительно на религиозные темы: *Святое Семейство и Святые, Целомудрие Сюзанны* (1517 г.) и *Портрет юноши*. В этом же зале хранятся *Портрет отца Галеаццо* и *Портрет музыканта* **Дж. Кампи** и работы **Дж. Б. Морони** *Портрет учёного* и *Портрет Кавалера Пьетро Секко Суардо*.

ЗАЛ 35 БАРОЧЧИ И КОНТРРЕФОРМАЦИИ – В зале выставлены картины **Ф. Барроччи** – художника умбрского происхождения – среди которых *Мадонна дель Пополо* (1579 г.), а также *Снятие с креста* **Чиголи**.

Залы с 36 по 40 были упразднены в связи с открытием для посетителей парадной лестницы Буонталенти.

ЗАЛ 41 РУБЕНСА – Здесь экспонируются произведения **П. П. Рубенса**, среди которых *Генрих IV в битве при Иври*, *Вступление Генриха IV в Париж* (1630 г.), *Вакханалия*, *Автопортрет* и портрет первой жены *Изабеллы Брандт*.

В этом же зале выставлены картины одного из его учеников – **А. Ван Дейка**: *портрет Филиппа IV верхом* и *портрет Жана де Монфора* (ок. 1628 г.).

Ещё один знаменитый портрет – *Галилео Галилея* (1635 г.) принадлежит кисти **Ю. Суттерманса**.

ЗАЛ 42 НИОБЕИ – Здесь находятся скульптуры *Ниобеи* и *Ниобеи с дочерью*, давшие название залу. Эти работы, являющиеся римскими копиями с греческих оригиналов III-II веков до н.э., хранились ранее в Риме, и только в 1775 г. Пьетро Леопольдо распорядился оборудовать зал для их размещения. Здесь же находится знаменитая ново-аттическая *Ваза Медичи*, датируемая I веком н. э.

Зал 43 итальянского и европейского искусства XVII века – экспозиция работ **А. Карраччи**: *Венера, сатиры и амуры* и *Автопортрет в профиль*.

Зал 44 Рембрандта – Зал отведен под собрание картин **Рембрандта**, среди которых два *Автопортрета* (ок. 1634 г. и ок. 1665 г.) и *Портрет старика*.

Зал 45 итальянского и европейского искусства XVIII века – Выставлены работы **Дж. М. Креспи**, среди которых *Амур и Психея*, *Исповедь* **П. Лонги** и пейзажистов – знаменитому венецианскому художнику **Каналетто** принадлежит *Вид на Дворец Венецианских Дожей*, а **Ф. Гварди** – серия *Каприччи*.

Много места отведено портретам, среди которых следует отметить *Предполагаемый портрет Марии Аделаиды Французской в турецком одеянии* (1753 г.) **Ж. Э. Лиотара**, *Фелисию Сартори* венецианской художницы **Р. Каррьеры** и прекрасные полотна **Гойи**: *Мария Тереза де Валлабрига верхом* и *Мария Тереза, графиня Шиньшон*.

Зал Караваджо – Здесь собраны произведения Микеланджело Меризи, более известного под псевдонимом **Караваджо** – знаменитого ломбардского художника, работавшего в Риме между 1593 и 1599 гг. Знаменитый *Вакх* написан в натуралистском стиле; следуют *Жертвоприношение Исаака* и *Медуза*, бывшая изначально щитом для рыцарских турниров, принадлежавшим Франческо I де Медичи. В этом же зале экспонируется *Юдифь, обезглавливающая Олоферна* **А. Джентилески**.

В последних залах экспозиции собраны работы Б. Манфреди, Г. делле Нотти и Г. Рени.

С террасы в глубине коридора открывается восхитительная панорама города (* смотровая площадка).

❺ Музей Истории Науки (площадь Джудичи, 1)

В музее, основанном в 1927 г., собраны более 5000 предметов научного предназначения, принадлежавшие Медичи (первые инструменты относятся ко временам правления Козимо Старшего) и Лорена. Два этажа поделены соответственно на 11 и 10 залов. В экспозициях первого этажа сосредоточены математические инструменты итальянских и зарубежных мастеров с X по XIX век, среди которых арабский макет *небосвода* 1080 г. и *армиллярная сфера* Антонио Сантуччи (вторая половина XVI века), лорнеты, термометры, барометры, телескопы. В IV и V залах хранятся инструменты, принадлежавшие **Галилео Галилею**, в том числе – *линза объектива*, с помощью которого великий учёный впервые наблюдал спутники Юпитера, геометрический компас, бинокли.

На втором этаже размещена коллекция инструментов XVIII и XIX веков, – в том числе знаменитый *механический парадокс*, стол для химических опытов и химические препараты Великого Герцога Пьетро Леопольдо, весы и перегонные кубы.

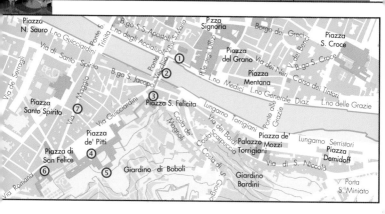

❶ КОРИДОР ВАЗАРИ (вход по предварительным заявкам)

Во время перестройки и расширения Уффици Вазари предусмотрел, по желанию Великого Герцога, скрытый проход, ведущий из Палаццо Веккио в новую резиденцию двора – Палаццо Питти.

Этот переход, законченный в 1565 г. и получивший название по имени своего создателя, начинается в Палаццо Веккио, проходит через галерею Уффици, пересекает реку над Понте Веккио и, наконец, после ещё примерно километра пути, достигает Сад Боболи, там, где находится грот Буонталенти.

Коридор был превращён в музей сравнительно недавно (1973 г.), когда в его помещениях было размещено около 800 картин. На втором участке перехода, от Понте Веккио, размещена значительная часть *Собрания Автопортретов* итальянских и зарубежных художников, охватывающего период с XIV века по наши дни; среди экспонирующихся работ в первую очередь отметим работу Вазари (1550 г.), с которой соседствуют творения таких мастеров, как Дель Сарто, Рафаэля, Тициана, Бернини, Роза, Кановы, Рени, Рубенса, Рембранд-

та, Веласкеса, Лиотара, Беклина, Айец, Фаттори, Микетти, Балла и Шагала.

Из окон перехода Вазари открываются изумительные панорамы города и окружающих холмов, в то время, как сам наблюдатель остаётся незамеченным, даже проходя над Понте Веккио или находясь в ложе церкви Санта Феличита (*смотровая площадка).

Последняя часть Коридора Вазари

❷ Понте Веккио (Старый Мост)

Этот мост, состоящий из трёх массивных арок, уцелел во многих исторических перипетиях с 1345 г., когда он был отстроен взамен снесенного во время наводнения Нери ди Фьораванте и оказался единственным, нетронутым немецкой авиацией во время жестоких бомбардировок города 1944 года.

В конце XVI в. Фердинандо I распорядился убрать лавки флорентийских мясников («беккаи») и заменить их мастерскими ювелиров, которые до сих пор занимают обе стороны моста и до сих пор оборудованы своеобразными опускными ставнями из дерева. На одной из двух террас посреди моста установлен *бюст Бенвенуто Челлини* XX века (*смотровая площадка).

❸ Церковь Санта Феличита (площадь Санта Феличита)

Церковь стоит на фундаменте другого сооружения раннехристианской эпохи (IV в.); оно считается самым древним святилищем города, хотя и было кардинально пере-

строено в XVIII веке. Над входным портиком проходит коридор Вазари. Внутри церкви находится КАПЕЛЛА КАППОНИ, спроектированная, вероятно, **Брунеллески** в начале XV века и украшенная восхитительными работами Понтормо: *Положение во гроб* и фреска *Благовещение*.

❹ ПАЛАЦЦО ПИТТИ

Его постройка в XV веке на холме Боболи была расценена, как попытка Луки Питти противостоять восхождению семьи Медичи к вершинам власти. Изначально дворец, возведенный по проекту Брунеллески (1445 г.), представлял собой здание из рустованного камня в три этажа, разделённых сплошными рядами балконов, по семь окон на каждом этаже.

После смерти Питти (1473 г.) и банкротства семьи дворец был выкуплен в 1549 г. Козимо I для жены Элеоноры Толедской, перенесшей сюда герцогский двор.

Первые работы по реконструкции здания, осуществлённые Б. Амманнати, практически не затронули фасадную часть: два боковых портала были замурованы и заменены низкими окнами, в то время, как дворец был значительно расширен за счёт пристроек «в глубину». Фасадная часть была расширена на 4 оконных пролёта с каждой стороны в ходе перестройки, произведённой Дж. и А. Париджи в период с 1618 по 1640 г., и включавшей также переделку интерьера Дворца. Во времена правления Лорена постройкой здания занимались Дж. Руджери и П. Поччанти, придав ему вид, в котором Дворец дожил до наших дней: 205 метров в длину, с двумя боковыми галереями, прозванными рондо.

Во время французского владычества (1799-1814 гг.) дворец служил резиденцией сначала Марии Луизы ди Бурбон, королевы Этрурии, а затем – Элизы Бонапарт, распорядившейся произвести некоторые изменения в левом крыле здания. Именно в это время художники Дж. Качалли и П. Бенвенути оформили несколько залов в неоклассическом тосканском стиле – например, Ванную комнату Наполеона, которой, кстати, император так никогда и не воспользовался.

Во времена, когда Флоренция была столицей Италии (1865-1870 гг.), здесь размещалась резиденция короля Витторио Эмануэле. В настоящее время художественные сокровища, годами собираемые бывшими обитателями Дворца, систематизированы в семь коллекций, доступных широкой публике. Пройдя центральный портал в форме арки, посетитель оказывается во дворе Амманнати, – автора также и фонтана, расположенного в своё время на верхней террасе, но в 1641 г. заменённого знаменитым *Фонтаном дель Карчофо* работы **Ф. Сузини** и **Ф. дель Тадда**. В нижней части находится *Грот Моисея* – порфировая конструкция XVII века. Под портиком установлены статуи древнеримской эпохи, в то время, как по правую руку находится вход в КАПЕЛЛУ ПАЛАТИНА, где сохранился алтарь, отделанный мозаикой, и распятие работы Джамболонья.

Поднявшись по парадной лестнице, расположенной во дворе, на второй этаж, посетитель попадает в ГАЛЕРЕЮ ПАЛАТИНА и КОРОЛЕВСКИЕ ПОКОИ.

ГАЛЕРЕЯ ПАЛАТИНА

Коллекция музея включает произведения итальянских и европейских художников с XV по XVIII века. Начало собранию, занимающему в наше время впечатляющую анфиладу залов, положил Козимо II де Медичи в 1620 г. Впоследствии собрание было пополнено усилиями Козимо III, а в 1828 г., благодаря Лорена, была открыта для широкой публики. Коллекция систематизирована по принципу «частных» картинных галерей, и благодаря этому картины служат «элементами обстановки» залов, в которых они выставлены.

Зал статуй или зал КАСТАНЬОЛИ – Назван по имени художника, выполнившего настенные росписи. В центре зала находится *стол Муз*, инкрустированный полудрагоценными камнями с бронзовыми ножками, изготовленный Дж. Дюпре в 1851 г.

Отсюда посетитель попадает в ЗАЛ АЛЛЕГОРИЙ или «ВОЛЬТЕРРАНО»: здесь хранятся работы **Вольтеррано** (*Шутки отца Арлотто*), **Дж. да Сан Джованни** (*Венера, причёсывающая Амура*) и семейные портреты Медичи работы **Суттерманса**.

Следуют залы (Изящных Искусств, Геркулеса, Авроры, Виктории), обставленные относительно недавно и отведённые под собрание картин – в большинстве своём алтарных образов XVII века – изъятых из церквей и монастырей, упразднённых в результате реформы XIX века. Затем посетитель оказывается в Зале Психеи, где выставлены работы флорентийского периода (с 1640 по 1649 г.) неаполитанского художника **С. Роза**, среди которых – *Роща Философов* и *Битва*. В конце анфилады залов, в своё время оборудованных под апартаменты Марии Луизы ди Бурбон, находится Зал Славы, украшенный картинами фламандской и голландской школ – *Дары леса с дичью* **О. ван Скрика** и *Ведуте* **Г. ван Виттеля**.

На обратном пути, пройдя через Зал Изящных Искусств, посетитель оказывается в Зале Ковчега, имеющего форму шатра, подобного тому, в котором по преданию хранился Священный Ковчег, и украшенного фресками **Л. Адемолло**.

Зал Музыки – Прозван также «залом барабанов» благодаря форме украшающей её мебели; здесь находится стол с малахитовой столешницей и ножками из позолоченной бронзы.

В коридоре Поччетти, в самом деле расписанном Росселли, экспонируются картины небольшого формата работы мастеров XVII века, – такие, как *Гилас и нимфы* **Ф. Фурини**, *Муки Св. Варфоломея* **Х. Рибера**, *Три юноши у огня* **М. Росселли** и изысканная мебель, – стол из полудрагоценных камней, изготовленный по эскизу **Дж. Б. Фоджини** в 1716 г.

Зал Прометея – Здесь хранятся такие шедевры, как *Мадонна с Младенцем и сцены из жизни Святой Анны* **Филиппо Липпи** – самая старинная картина Галереи (1450 г.), а также две доски работы **Понтормо** – *Поклонение волхвов* (1523 г.) и *Муки Св. Мауриция и фиванских легионов*, а также *Святое Семейство со Св. Екатериной* **Л. Синьорелли**. В центре зала установлена севрская ваза 1844 г. работы **Л.-П. Шильта**.

Пройдя через Коридор Колонн, где экспонируются небольшие работы голландских и фламандских художников XVII и XVIII веков, посетитель попадает в Зал Правосудия, отведенный под собрание картин венецианской школы XVI века, среди которых выделяются: *Портрет Томмазо Мости (?)* **Тициана**, *Портрет дворянина* **Веронезе** и *Мадонна со Св. Екатериной и Св. Иоанном Крестителем*, приписываемая **П. Ланчиани**.

Зал Флоры – Здесь выставлены произведения флорентийской школы XVI века, среди которых выделяются *Святое Семейство со Св. Анной и Св. Иоанном Крестителем* **Вазари** и *Мадонна с Младенцем* **А. Аллори**.

Зал Амуров – Экспозиция картин фламандских и голландских художников, в том числе *Три Грации* **Рубенса** и *Натюрморт с цветами и фруктами* **Р. Рейш** (1715 и 1716 гг.).

Зал Одиссея – Фрески были исполнены в честь возвращения Фердинандо III ди Лорена на флорентийский престол в 1815 г. Здесь находятся такие знаменитые полотна, как *Мадонна дель Импанната* **Рафаэля** (1514 г.), *Мадонна с Младенцем и Святыми*, называемая также «Пала ди Гамбасси» (1525-1526 гг.) **А. дель Сарто**, – сцена святой беседы между Девой Марией и святыми и *Ecce Homo* («Се Человек») **Чиголи** (1607 г).

Ванная комната Наполеона – Помещение, приспособленное в 1813 г. под временные апартаменты Наполеона и украшенное фресками и барельефами.

Зал Воспитания Юпитера – В своё время эта комната была спальней Великого Герцога; здесь хранятся картины *Спящий Амур* (1608 г.) **Караваджо**, *Юдифь с головой Олоферна* **К. Аллори**, *Св. Андрей перед Распятием* **К. Дольчи**.

Каминный зал – Зал, названный так потому, что обогревался потоком горячего воздуха. Роспись зала аллегорическими фресками выполнена **П. да Кортона** и **М. Росселли**, а пол выложен майоликой.

Зал Илиады – Получил своё название благодаря фрескам на темы Гомера; здесь выставлен шедевр **Рафаэля** *Ла Гравида* («Беременная»), работа **Р. дель Гирландайо** *Женский портрет* (1509 г.), *Пала Пассерини* и *Ассунта Панчатики* кисти **А. дель Сарто**, *Портрет Вальдемара Кристиана Датского* **Суттерманса**, а также два холста **А. Джентилески** *Юдифь* и *Магдалина*, созданные в период с 1614 по 1620 г.

Зал Сатурна – Роспись Ферри; в зале выставлена значительная часть собрания работ **Рафаэля**, среди которых: *Мадонна в кресле, Портреты Аньоло и Маддалены Дони* (1507 г.), *Мадонна дель Грандука* (1506 г.), *Портрет Томмазо Ингирами* и *Мадонна под балдахином*, – работа, оставшаяся незаконченной по причине переезда художника в Рим.

В этом же зале находятся *Диспут о Троице* и *Благовещение* **А. дель Сарто**, *Оплакивание мертвого Христа* (1495 г.) **Перуджино** и *Христос как «Сальватор Мунди»* (1516 г.) кисти **Фра Бартоломео**.

Зал Юпитера – Первоначально служил тронным залом; ныне здесь собрано много известных полотен: *Святое Семейство* **Гверчино**, *Три возраста человека*, только недавно приписанная **Джорджоне** (ок. 1500 г.), *Мадонна с Мешком* **Перуджино**, *Пьета* **Фра Бартоломео** и *Благовещение* **А. дель Сарто**. Но самой знаменитой работой из экспонирующихся в зале является *Велата* **Рафаэля**, написанная в период пребывания художника в Риме – скорее всего, в 1516 г. и, вероятно, изображающая Форнарину – женщину, в которую Рафаэль был влюблён.

Зал Марса – Вмещает множество портретов венецианской школы и некоторые шедевры фламандских и испанских мастеров, в том числе, среди венецианцев: *Портрет Ипполита де Медичи* **Тициана**, *Портрет Альвизе Корнаро* **Тинторетто** (1560-1565 гг.), *Портет дворянина в меховом плаще* **Веронезе**. Среди фламандцев выделяются **Рубенс** с его *Последствиями войны* (1638 г.) и *Четырьмя философами* и работа **Ван Дейка** *Портрет кардинала Бентивольо*. Испанская школа представлена двумя картинами *Мадонна с Младенцем* кисти **Мурильо**.

Зал Аполлона – Украшением экспозиции является алтарный образ *Святая беседа* (1522 г.) художника **Доменико Мацца**; здесь же выставлены *Мужчина с серыми глазами* или *Англичанин* и *Магдалина* **Тициана**, и работы других художников венецианской школы, – *Портрет Винченцо Зено* **Тинторетто**, *Нимфа и сатир* **Д. Досси**, *Клеопатра* **Г. Рени**, а также полотна **Гверчино** и **К. Аллори**.

Присутсвуют также мастера фламандской школы: *Портрет Изабеллы Клары Евгении* **Рубенса** (1625 г.), *Портрет Великой Герцоги-
ни Виктории делла Ровере* (ок. 1640 г.) **Ю. Суттерманса** и *Портрет
Карла I – Короля Англии и Генриетты Французской* **Ван Дейка**.
ЗАЛ ВЕНЕРЫ – Расписан сценами на мифологическую тему художниками **П. да Кортона и Ч. Ферри** и хранит работы **Тициана**, среди которых *Концерт, Портрет Пьетро Аретино, Портрет Дворянки*
и *Портрет папы Юлия II*, а также *Возвращение с полей и Одиссей
на острове феаков* **Рубенса**, две картины на морскую тему кисти
С. Роза – *Закат на море* и *Вид на порт с кораблями и весельными
судами* и, наконец, *Аполлон и Марсия* **Гверчино** и *Третье явление
Христа Св. Петру* работы **Чиголи**. Центр зала занимает мраморная
скульптура *Венеры Итальянской* **Кановы**.

КОРОЛЕВСКИЕ ПОКОИ
Занимают правое крыло дворца, вход через зал Ниш.
Эта часть Дворца была отведена под жильё правящей семьи Медичи, затем – пришедшей им на смену семьи Лорена и, наконец, служила резиденцией королевского дома Савойя в те годы, когда Флоренция была столицей Италии (1865-1870 гг.). Именно от последних
жильцов осталась большая часть обстановки – мебель, драгоценные детали интерьера и гобелены. Помещения жилой части Дворца
были открыты для посетителей совсем недавно, после кропотливой
работы по их реставрации, и состоят из четырнадцати залов.
ЗАЛ НИШ – Во времена Медичи служил приёмной для посетителей, а
с приходом Лорена была преобразована в зал для празднеств и впоследствии – в обеденный зал. В стенных нишах установлены копии
античных статуй и японские вазы.
ЗЕЛЁНЫЙ ЗАЛ – Назван так благодаря расцветке шёлковой обивки
стен; называлась также «караульной» во времена, когда служила
прихожей апартаментов принца Фердинандо; здесь хранятся прекрасный холст **Л. Джордано** *Аллегория примирения между флорен-
тийцами и фьезоланами* и *Портрет Фра Маркантонио Мартелли*
работы **Караваджо**. Богатая обстановка зала включает столик и

секретер из чёрного дерева, инкрустирован-
ные полудрагоценными камнями, изготовленные примерно в 1685 г.

Тронный Зал – называется также «красным»,
вмещает трон, балдахин и ограждение, уста-
новленные в эпоху Савойя. При Медичи и
Лорена помещение использовалось, как зал
для аудиенций. Украшен вазами японской и
китайской работы XVIII и XIX веков.

Лазурный Зал – назван так благодаря цвету
стенной обивки; называется также «Залом
клавесинов», так как именно здесь организовывались концерты для принца Фердинандо.
Комната украшена лепкой и гобеленами **Гобелина** и десятью портретами членов семьи
Медичи, написанные **Суттермансом** в период с 1621 по 1645 г.

Капелла – При Медичи комната исполь-
зовалась под спальню, а в XVIII веке была
преобразована в капеллу; представляют интерес подставка для колен, алтарь с Распятием из слоновой кости и картины Тициана,
Рембрандта и Ван Дейка. Кисти **К. Дольчи**
принадлежит *Мадонна с Младенцем* с рамой из черепаховой кости и полудрагоценных камней.

Зал Попугаев – Назван так благодаря узо-
ру стенной драпировки, с рисунками птиц
на зелёном фоне; в своё время разделяла
спальни короля и королевы Савойя. Примечательны часы французской работы из
чеканной бронзы с позолотой на основании
из чёрного мрамора.

Жёлтый Зал, Спальня Королевы, Овальный
Кабинет и Круглый Кабинет – эти помещения служили апартаментами королевы
Маргериты ди Савойя; стены украшены
гобеленами Гобелина и портретами, – такими, как Курфюрстины Палатинской, приписываемый **Я. Ф. ван Дувену**; восхитительны
секретер из чёрного дерева, слоновой кости,
алебастра и золочёной бронзы, сосуд для
святой воды и другие предметы мебели и
домашнего обихода.

Вернувшись в зал Попугаев, можно пройти
в апартаменты Умберто I ди Савойя.

Эта часть дворца состоит из Спальни Короля, Кабинета, Красного зала и Прихожей.
Отличается более скромной обстановкой
по сравнению с другими залами, но и здесь

хранятся гобелены, мебель эпохи Лорена, зеркала, мраморный бюст короля и портреты кисти Суттерманса.

Музей Гобеленов – пройдя через Зал Бона, названный так благодаря украшающей её фреске Б. Поччетти 1609 года со сценами *взятия города Бона*, посетитель входит в Апартаменты Гобеленов. Эта часть Дворца состоит из 5 залов, во времена Медичи отведенных придворным дамам, а впоследствии предназначенных для размещения высокопоставленных гостей правящей семьи. Все комнаты расписаны фресками выдающихся художников эпохи Медичи на единую тему *Человеческих добродетелей*. Стены украшены прекрасными гобеленами тосканской и французской работы с изображениями аллегорических фигур. Последний в анфиладе залов, называемый Белым, украшен лепкой, что делает его особенно светлым.

Галерея Современного Искусства

Часть Дворца, где во времена Медичи располагались Апартаменты Эрцгерцогинь и Новые Апартаменты, сегодня занята под собрание произведений итальянской живописи и скульптуры, начиная с неоклассического периода вплоть до XX века, начало которому положил Великий Герцог Пьетро Леопольдо в 1784 г. и пополненное впоследствии благодаря вкладу Правящего Дома Савойя. Здесь же находится ряд работ иностранных мастеров современной эпохи. Коллекция из более, чем 2000 художественных произведений, систематизированная по хронологическому принципу и разбитая по темам, занимает более 30 залов.

Первые залы (1-2) посвящены неоклассическому периоду и периоду оккупации Тосканы французской армией; здесь выставлены такие художники, как **А. Канова** (бюст *Каллиопы*), Ф. Каррадори, С. Риччи, **П. Батони** (его кисти принадлежит картина *Геркулес на распутье*), **П. Тенерани** (скульптура *Покинутая Психея*).

Следуют залы (3-4), где размещена портретная галерея представителей тосканских правящих династий периода, предшествующего объединению Италии: Габсбурги-Лорена и Бурбоны ди Лукка (отметим работу **Ф. К. Фабра** *Портрет Марии Луизы ди Бурбон, ко-*

П. Тенерани,
Покинутая Психея

Ф. Айец, *Двое Фоскари*

Ф. Дзандоменеги, *В постели*

К. Писсарро, *Пейзаж*

Дж. Фаттори,
Портрет падчерицы

Т. Синьорини, *Лейт*

П. Номеллини,
Маленький Вакх

ролевы Этрурии), а также благородных семей, внесших решающий вклад в сохранение культурного наследия Флоренции, таких, как семья Демидовых (Портрет *принцессы Матильды Бонапарт Демидовой* кисти **А. Шеффера**).

Залы 5 и 6 отведены под произведения на исторические темы и идеальные пейзажи в романтическом стиле. Среди прочих, представлены художники **Ф. Айец** (ему принадлежит полотно *Двое Фоскари*), **Г. Сабателли** (*Джотто и Чимабуэ*) и **М. д'Адзелио** (*Кавалерийская атака*).

Среди выставленных скульптурных работ отметим *Св. Себастьяна* работы **Феди** и *Вакх с криптограммой* **Дж. Дюпре**.

В залах 7-8 размещены парадные портреты, относящиеся к эпохе, когда Флоренция была столицей Италии. Выделяются работы **А. Чизери** (особо известен портрет *Джованни Дюпре*), **Р. Сорби** (красивейший *Портрет скульптора Эмилио Дзокки*), **А. Пуччинелли** (*Портрет благородной дамы Моррокки*) и знаменитый *Автопортрет* **Дж. Фаттори**.

Зал 9 отведен работам пейзажистки школы середины XIX века, среди которых отметим **А. Фонтанези** (*После дождя*) и **С. Де Тиволи** (*Пастбище*).

В залах 10 и 11 выставлены две богатые коллекции картин, – одна принадлежала Кристиано Банти и была подарена музею его наследниками (выделяется работа самого Банти *Женщины в лесу*); вторая была собрана Диего Мартелли и завещана городу ещё в 1897 г. (отметим работу **Ф. Зандоменеги** *В постели* и *Пейзаж* **К. Писсарро**).

Последующие залы (12-17) отведены под картины на исторические сюжеты, среди которых немало шедевров, таких, как *Изгнание Афинского Герцога* (1862 г.) **С. Усси** и портреты эпохи короля Умберто, среди которых выделяется *Портрет Габриелы Куйер, жены художника* кисти **М. Гордиджани**.

В залах 18-20 выставлено собрание картин маккьяйоли, постмаккьяйоли и других флорентийских школ, переданные в музей из городского хранилища и из коллекции Амброн. Выделяются великолепные полотна **Дж. Фаттори**: *Портрет падчерицы, Кузина*

Арджа, *Ветер с моря* и *Ротонда Кальмьери*.
Отметим также работы **Т. Синьорини** (*Сентябрьское утро в Сеттиньяно*, *Крыши домов в Риомаджоре*, *Лейт*) и скульптурную работу **А. Чечони** *Самоубийца*.
Последующие залы (21-24) заняты произведениями художников, принадлежавших к тосканской школе натуралистов, среди которых *Весна* **А. Томмази** и *Дождь из пепла* **Дж. Де Ниттиса**. Здесь же экспонируются работы мастеров, примыкавших к европейским культурным течениям (*Паоло и Франческа* **О. Фермерена** и *Портрет Бруны Пальяно* **Э. Джелли**), в том числе – символисты и дивизионисты (превосходные образцы – *Маленький Вакх* **П. Номеллини** и *На лугу* **Г. Превьяти**).

В залах 25-26 хранятся коллекции этюдов, – в частности, собрание *Эмилио Гальярдини*, включающее *Прискорбное известие* **О. Боррани**, *Лошади в кедровой роще Томболо* работы Фаттори и *Полдень* кисти Номеллини.

Наконец, в последних залах (27-30) экспонируются произведения декадентской, символистской и постимпрессионистской школ, – *Признания* **А. Спадини**, *Портрет Джованни Папини* **О. Гилья**, *Мир* **Г. Кини** и *Красивая улыбка* **Дж. Костетти**.

Музей Серебра

Коллекция, составленная из предметов и драгоценностей, принадлежавших династиям Медичи и Лорена, была выставлена на публичное обозрение в 1919 г. в летних апартаментах Дворца.

Собрание занимает 25 залов, некоторые из которых расписаны изумительными фресками Дж. да Сан Джованни (ок. 1635 г.), и разделено по типу выставленных произведений (залы хрусталя, фарфора, янтаря, слоновой кости, дарохранительниц и т.д. ...). Отметим экспозиции КАМЕЙ И ДРАГОЦЕННОСТЕЙ, – здесь хранятся шедевры ювелирного искусства, такие, как *Камея Козимо I* (1557-1562 гг.), Яйцо с видом площади Синьории (1599 г.), *Обет Козимо II*; в зале ЭКЗОТИЧЕСКИХ ПРЕДМЕТОВ и в маленькой лоджии хранятся шедевры африканской (*Рога из слоновой кости из Конго*), мексиканской (*Нефритовая*

43

маска) и китайской (*Наутилусы* или раковины) работы.

Знамениты коллекции Фердинандо III ди Лорена, прозванная *Сокровищницей* принцов-епископов Зальцбурга и Вюрцбурга (замечательный переносной алтарь, набор из 54 чаш из позолоченного серебра и фляжка с гротесками) и *Сокровищница* Анны Марии Луизы де Медичи (выставлена в зале драгоценностей и включает «драгоценные безделушки», в том числе – любопытную коллекцию миниатюрных изображений животных фламандской работы), а также *Вазы «селадон»* (XIV век) из полудрагоценных камней, оставленные Лоренцо де Медичи.

В последнем разделе экспозиции – ЗАЛЕ ДАРОВ, хранятся драгоценности и предметы искусства XVII-XX веков, полученные в качестве даров, среди которых – великолепная *Диадема* Картье (1900 г.), усеянная аметистами и бриллиантами.

МУЗЕЙ КАРЕТ (первый этаж южного рондо, в настоящее время закрыт для посетителей)

Здесь экспонируются некоторые модели карет XVIII-XIX веков, принадлежавших двору Лорена и Савойя, а также детали конской упряжи.

Среди выставленных образцов выделяется карета начала XIX века, принадлежавшая Фердинандо II, неаполитанскому королю, сделанная из позолоченного серебра и роскошно разукрашенная.

МУЗЕЙ ИСТОРИИ КОСТЮМА

Открыт для посетителей с 1983 года и занимает помещения в ПАЛАЦЦИНЕ ДЕЛЛА МЕРИДИАНА, резиденции Савойя; представляет собой коллекцию более, чем 6000 предметов старинной одежды, театральных костюмов и аксессуаров с начала XVIII века вплоть до первых годов XX века, сформировавшуюся постепенно, благодаря дарам частных лиц и приобретениям. Среди самых важных экспонатов отметим погребальные одеяния Козимо I де Медичи, Элеоноры Толедской и их сына Дона Гарсия.

МУЗЕЙ ФАРФОРА (Кавалерский домик в верхней части сада Боболи)

Открыт с 1973 г. и объединяет коллекции фарфоровых изделий, принадлежавших семьям, обитавшим во Дворце. Состоит из трёх залов, первый из которых отведён под экспозицию итальянского и французского фарфора (отметим статуэтки из бисквита неаполитанской работы, сервизы Мануфактуры Доччиа и Севрской Мануфактуры); во втором зале выставлен фарфор венской работы, а в третьем собраны изделия мейсенских мастеров.

❺ Сад Боболи

Наша экскурсия по музейному комплексу Дворца Питти завершается во ДВОРЕ ВАКХА, утонувшем в зелени сада Боболи – шедевра паркового искусства итальянского Возрождения. Спроектированный в 1549 г. архитектором **Триболо** по велению Козимо I парк претерпел за долгие годы своего существования многочисленные реконструкции под руководством архитекторов калибра Амманнати, Буонталенти и А. Париджи. Последние изменения были внесены во второй половине XIX века.

Размеры парка, занимающего участок в 45 тысяч кв. метров между Дворцом Питти, Фортом Бельведере и Порта Романа, должны были подчёркивать неограниченную власть Герцога. Здесь часто устраивались дворцовые празднества, игры и спектакли. В наше время отсюда открываются захватывающие виды на город, а прогулка по его аллеям открывает нам целую галерею произведений

Зал Дж. да Сан Джованни

Мастерские Аугусты, Немецкий секретер

Фляга по эскизу Буонталенти

«Мастер Фурий», *Курций бросающийся в пропасть*

Серебряная карета

Музей Истории Костюма

Мануфактура Доччиа, Чаша

искусства – статуй, фонтанов, гротов, искусственных прудов и даже амфитеатр.

У ВХОДА В ПАРК находится любопытный *Фонтан Вакха* (1560 г.), называемый также «Карлик Морганте» работы **В. Чиоли**, в фигуре которого запечатлён карлик, в действительности живший при дворе Козимо I, верхом на черепахе.

ГРОТ БУОНТАЛЕНТИ (1583-1588 гг.) примечателен оригинальностью фасада с нишами, в которых установлены статуи *Париса и Елены* работы **Бандинелли** и искусственными сталактитами и декорациями на морскую тему. Первоначально здесь находились *Рабы* Микеланджело, сейчас замененные копиями, в то время, как в глубине грота, расписанного **Поччетти**, установлена *Венера* работы **Джамболонья**.

На просторах парка, сразу же за двориком Амманнати, раскинулся Амфитеатр (XVII век) с характерными нишами и ступеньками, в центре которого возвышается *египетский обелиск* (ок. 1500 г. до н.э.), привезенный из Луксора, и гранитная ванна из источников Каракалла.

Поднявшись по центральной аллее, можно выйти к искусственному озерцу, в центре которого возвышается *фонтан Нептуна*; по левую руку от озера находится павильон *Венской Кофейни* в стиле рококо (1776 г.), откуда открывается незабываемый вид на город. (*смотровая площадка).

Из КАВАЛЕРСКОГО САДА, в центре которого расположен *фонтан обезьян*, можно спуститься к тропе, которая, между кипарисами и статуями, как античными, так и недавней работы, ведёт к Площади дель Изолотто – большому пруду, над которым работали Дж. и А. Париджи, начиная с 1618 г.; представляет собой скульптурную группу, погружённую в воду и изображающую многих персонажей, среди которых выделяются *Персей и Андромеда* работы Джамболонья, в то время, как на центральном островке, окружённый каменными перилами и лимонными деревьями, располагается фонтан *Океана*, – копия оригинальной работы Джамболонья.

По пути к главному выходу посетитель проходит Рондо ди Фондо и Лимонную Рощу.

❻ Зоологический музей «Ла Спекола»
(улица Романа, 17)

Музей был основан в 1775 г. по желанию Пьетро Леопольдо, питавшего страсть к естественным наукам; здесь он оборудовал астрономическую и метеорологическую обсерваторию, откуда и пошло название Спекола (обсерватория). Великий Герцог намеревался собрать в одном месте все научные собрания Медичи и всё, что было связано с научными изысканиями (книги, трактаты, инструменты). Достойны упоминания зоологические коллекции (пополненные недавно путём приобретения превосходной коллекции итальянских и африканских паукообразных) и около 600 футляров коллекции *анатомических препаратов из воска*, приготовленных школой лепки из воска, размещавшейся в помещениях Музея вплоть до 1895 г.

На втором этаже расположен вход в знаменитую Трибуну Галилея, построенную по повелению Леопольда I в 1841 г. к открытию Конгресса итальянских учёных; состоит из вестибюля и зала полукруглой формы, облицованного мрамором и украшенного мозаиками и фресками разных мастеров.

❼ Улица Маджо

Среди многих зданий шестнадцатого века, принадлежавших благородным семействам, отметим № 26 – палаццо Бьянки Каппелло (любовницы, а затем – второй жены Франческо I де Медичи), реконструированный для неё Б. Буонталенти; примечательна декорация фасада гротесками-граффити и изображением дорожной шляпы – фамильного герба семьи.

Боболи: Фонтан Карчиофо и Амфитеатр

Венская кофейня

Бассейн с островком

Большой Грот

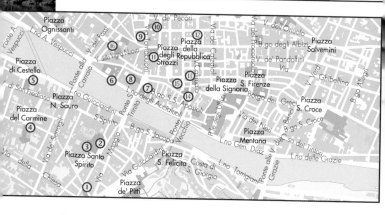

❶ Церковь Сан Феличе ин Пьяцца

Упоминаемая уже в хрониках 1066 г., приняла свои теперешние формы в XIV веке. Интересен скромный фасад работы **Микелоццо** и украшенный *резьбой* входной портал. Среди произведений искусства представляют интерес: в VI алтаре справа – картина *Мадонна со святыми* (1520 г.) работы **Р. дель Гирландайо**; в главной КАПЕЛЛЕ – деревянное *Распятие* школы Джотто, по левую руку – фреска, изображающая *Св. Феличе, оказывающего помощь Св. Массимо*, начатая **Дж. да Сан Джованни** и завершённая **Вольтеррано** в 1636 г.

Площадь Санто Спирито (Святого Духа)

Площадь, окружённая строениями в стиле XV века, выглядит, как цветущий сад с фонтаном в центре, и оживляется главным образом в летнее время, благодаря наличию также множества ресторанов, предлагающих блюда местной кухни. Выделяется ПАЛАЦЦО ГВАДА-НЬИ – здание XVI века, построенный предположительно по эскизам **Кронака** по заказу семейства Деи и послуживший моделью, благодаря

большому балкону в верхней части строения, для многих дворцов последующей эпохи.

❷ Церковь Санто Спирито

Скромный фасад церкви в стиле XVIII века обращён к площади. Строительство церкви было начато в 1444 г. под руководством **Брунеллески**, но завершено уже его преемниками в 1487 г., когда здание было покрыто куполом. В конце XV века были привлечены: к оформлению ризницы **Дж. да Сангалло**, а к оформлению притвора – **Кронака**. Изящная двухэтажная колокольня, увенчанная элегантной секцией для колоколов, была возведена в 1541 г. по проекту **Б. д'Аньоло**, в то время, как в XVI и XVII веках Б. Амманнати и А. Париджи завершили постройку, оформив два церковных дворика.

Внутренняя планировка церкви представляет собой латинский крест с 3 нефами. В центре перекрестия расположен большой купол.

В правом нефе находятся произведения XV-XVII веков, среди которых отметим работу **Дж. Страдано** *Иисус изгоняет торговцев из Храма*, находящуюся в IV капелле; Главный Алтарь, с мраморной оградой и балдахином, увенчанным маленьким куполом, выполнен **Дж. Каччини** в стиле барокко и украшен полудрагоценными камнями; в задней части, ближе к абсиде, установлено деревянное *Распятие*, приписываемое **Микеланджело**; в XII капелле находится прекрасная картина **Филиппино Липпи** *Мадонна с Младенцем, Св. Иоанном Крестителем, Св. Мартином и Св. Екатериной мученицей* (1494 г.); отметим также мраморный саркофаг с останками Нери ди Джино Каппони, приписываемый **Бернардо Росселлино** (1458 г.), установленный в XIV капелле. XVII капелла в абсиде украшена полиптихом **М. ди Банко** *Мадонна с Младенцем и четырьмя святыми* (ок. 1345 г.), в то время, как в XIX и XX капеллах выставлены 2 работы кисти **А. Аллори**: *Святые мученики* (1574 г.) и *Грешница* (1577 г.).

По левой стороне крестовины собора наибольший интерес представляют XXVI капелла, где выставлены картины *Мадонна с*

Палаццо Гваданьи

Церковь Санто Спирито:

А. Сансовино, Алтарь Таинств

Филиппино Липпи, Мадонна с Младенцем и святыми

Младенцем на троне и *Святые Фома и Пётр* **К. Росселли** (1482 г.), а также красивейшая КАПЕЛЛА XXVII, называемая также Корбинелли, офрмленная и обставленная **А. Сансовино** (1492 г.) и капелла XXX, где находится *Мадонна с Младенцем на троне и святые* **Р. дель Гарбо**, украшенная великолепной старинной рамой.

Среди достопримечательностей ЛЕВОГО НЕФА выделим КАПЕЛЛУ XXXIV с работой **Р. и М. дель Гирландайо** *Мадонна, Св. Анна и другие святые*. Великолепны витражи XV века в верхней части нефа. Притвор, спроектированный **Кронака** (1494 г.), представляет собой прямоугольное помещение с бочарным кессонным сводом, опирающимся на 12 коринфских колонн, и мифологическими фигурами на заднем плане.

Ризница (вход из притвора) работы **Дж. да Сангалло** была построена между 1489 и 1492 г. Внутри ризницы, напротив входа, выделяется картина **А. Аллори** *Св. Фиакр, излечивающий страждущих* (1596 г.). В ПЕРВОМ ЦЕРКОВНОМ ДВОРИКЕ, выход в который находится в притворе, привлекают внимание люнеты, украшенные фресками различных художников на тему *Сцены из жизни августинцев*.

❸ ТРАПЕЗНАЯ САНТО СПИРИТО (площадь Санто Спирито, 29)
Старинная столовая, относящаяся к четырнадцатому веку, монастыря августинцев замечательна своей прямоугольной формой и потолочными перекрытиями со стропилами на виду, а также флорентийскими окнами, разделёнными колонками в готическом стиле. Одна из стен украшена великолепными фресками, накладывающимися друг на друга: *Распятие Христа с Марией, припавшими к ногам женщинами, Лонджино и другими солдатами* и *Тайная Вечеря* (ок. 1365 г.), приписываемые **Орканья**, но местами незавершённые.
В этом же здании располагается Фонд Романо – собрание, подаренное городу антикваром Сальваторе Романо и состоящее из статуй, архитектурных фрагментов и коллекции обработанных камней, охватывающее период от эпохи, предшествующей римской, до XV в.

4

❹ Церковь Санта Мария дель Кармине

Хотя местами ещё сохранились фрагменты стен римско-готического периода, церковь, основанная монахами-кармелитами в 1268 г., была впоследствии подвергнута многим перестройкам, вплоть до основательной реконструкции 1775 года, произведенной Дж. Маннайони.

Внутреннее убранство церкви, с планировкой в виде латинского креста, с единственным нефом и 5 капеллами с каждой стороны, отличается потолками, расписанными фресками; в III капелле находится *Распятие Христа* (1560 г.) работы **Вазари**.

В главной капелле, рядом с мраморной дароносицей, украшенной полудрагоценными камнями, установлен *надгробный памятник Пьеро Содерини*, – скульптура **Б. да Ровеццано** 1513 г. Слева от трансепта находится капелла Корсини, – помещение квадратной формы, оформленное в 1683 г. в стиле римского барокко П. Ф. Сильвани по заказу маркизов Бартоломео и Нери. Внутри капеллы установлены три надгробных памятника и выставлены многие произведения **Дж. Б. Фоджини**, среди которых – *урна* с останками Св. Андреа Корсини.

Капелла Бранкаччи (вход из церкви через дверь по правую руку) – знаменита главным образом фресками **Мазаччо** и **Мазолино**.

Феличе Бранкаччи заказал картины мастерам Мазолино и Мазаччо приблизительно в 1423 г. Художники работали совместно над оформлением церкви вплоть до 1428 г. Из-за

Орканья, *Тайная Вечеря, Распятие*, Трапезная монастыря Санто Спирито

Церковь Санта Мария дель Кармине: Мазаччо и Филиппино Липпи, *Воскрешение сына Теофила и Проповедь апостола Петра*

Капелла Корсини

изгнания Бранкаччи (1436 г.) и преждевременной смерти Мазаччо работы замедлились; в конце концов, было решено посвятить капеллу *Мадонне дель Пополо (Народной Мадонне)*; поэтому сюда была перенесена доска тринадцатого века, изображающая *Мадонну*, – она до сих пор установлена на алтаре – авторство которой приписывается **К. ди Марковальдо**.

Фрески, завершённые **Филиппино Липпи** в 1480 г., объединены темами *Первородного Греха* и *Жития Св. Петра*. Впечатляет сцена *Искушения Адама и Евы* **Мазолино**, а *Изгнание из Земного Рая* **Мазаччо** благодаря своей драматической экспрессии, считается отправной точкой живописного искусства Возрождения; следует самая знаменитая из всех сцен: *Уплата подати* Мазаччо. Кисти Мазолино принадлежит также *Проповедь Св. Петра*, в то время, как Мазаччо написал *Крещение новообращённых*; он же начал *Воскрешение сына Теофила и Св. Пётр на престоле*, завершённую впоследствии Филиппино Липпи. Эта сцена, принято считать, была последней работой Мазаччо до его переезда в Рим; любопытно, что многие персонажи картины написаны с современников художника, – так, можно узнать Брунеллески, Альберти, Мазаччо и Мазолино. Последние сцены принадлежат кисти Филиппино: *Диспут с Симоном Магом* и *Распятие Св. Петра* (отметим, что в первой сцене в крайнем справа молодом человеке в берете можно узнать самого художника, а во второй сцене персонаж, находящийся в центре группы справа и смотрящий в сторону зрителей, является портретом учителя художника Сандро Боттичелли) и, наконец, *Ангел освобождает Св. Петра из темницы*.

❺ Церковь Сан Фредиано ин Честелло

Церковь, фасад которой до сих пор не закончен, была построена между 1680 и 1689 гг. римским архитектором Черутти. Впоследствии были пристроены купол (1698 г.), автор А. Ферри, и колокольня. Здание, выстроенное в виде латинского креста с одним нефом, характерно внутренним убранством в стиле барокко и своеобразными небольшими боковыми капеллами. Упомянём роспись купола,

принадлежащую Д. Габбьяни, и грандиозный Главный алтарь восемнадцатого века из мрамора и полудрагоценных камней. В левом трансепте находится *Распятие и Святые* работы **Я. дель Селлайо**.

❻ Палаццо и Галерея Корсини (набережная Корсини, 10) (*смотровая площадка*)
Во Дворце, построенном по проекту П. Ф. Сильвани (1656 г.), размещена коллекция Галереи Корсини (посещение по предварительным заявкам), начало которой положил в 1765 г. дон Лоренцо Корсини. Насчитывает многие шедевры флорентийской школы, а также итальянских и зарубежных авторов XV-XVIII веков.

❼ Палаццо Спини-Ферони
Был возведен в XIII веке для защиты моста и представляет собой исполинское сооружение в три этажа, увенчанное крепостными зубцами; был многократно перестроен и вплоть до 1824 г. располагал башней и аркой. С 1995 г. здесь находится Музей Сальваторе Феррагамо, где хранятся 10.000 моделей обуви, созданных известным домом моделей в период с 20-х годов XX века по наше время. Собрание включает также исторический архив, составленный из документов, кино и фотоматериалов.

❽ Базилика Санта Тринита (Святой Троицы)
Находится на одноимённой площади, в центре которой установлена *Колонна Правосудия*. Церковь была построена монахами Валломброзианцами во второй половине XI века. Реконструкция здания в готическом стиле началась в первые десятилетия XIV века, но работы были завершены только в начале XV века. Каменный фасад оформлен в стиле барокко по эскизам Б. Буонталенти. Внутренняя планировка следует концепции египетского креста с тремя нефами. В правом нефе выделяется IV капелла, закрытая металлической оградой и украшенная фресками **Л. Монако** 1425 года со *сценами из жизни Девы Марии*; тому же автору принадлежит *Благовещение*, установленное в алтаре.

Л. делла Роббиа, Гробница Беноцци Федериги

Д. дель Гирландайо, Капелла Сассетти

В правом трансепте находится *капелла Сассетти*, известная росписями **Д. Гирландайо** на тему *Истории из жизни Св. Франциска Ассизского* (1486 г.). Среди персонажей, изображённых на фресках, можно узнать известных деятелей эпохи (Франческо Сассетти с сыном, Лоренцо де Медичи; на лестнице – Аньоло Полициано с детьми Лоренцо Великолепного) и знакомые городские пейзажи, такие, как площадь Св. Троицы, Палаццо Спини и Палаццо Синьории. Алтарь украшен *Поклонением пастухов* кисти того же Гирландайо.

В клиросе сохранилось несколько фрагментов цикла, созданного А. Бальдовинетти на темы Ветхого Завета. В левом трансепте, во II капелле находится *гробница Беноццо Федериги, епископа Фьезоле* (1454 г.), – работа **Л. делла Роббиа**, использовавшего мрамор и разноцветную майолику. Рядом находится также капелла Св. Джованни Гвальберто, расписанная **Пассиньяно** сценами, связанными с почитанием мощей святого.

Главной достопримечательностью левого нефа является деревянная статуя *Магдалины* работы **Д. да Сеттиньяно**, установленная в V капелле. В IV капелле похоронен флорентийский летописец Дино Компаньи, живший на рубеже XIII и XIV веков.

❾ Улица Торнабуони

Эта улица считается самой элегантной во Флоренции и славится модными магазинами и зданиями эпохи Возрождения. Среди самых известных: № 3 – *Палаццо Минербетти*; рядом находится № 5 – *Палаццо Строцци дель Поэта* – образец архитектуры барокко работы Г. Сильвани, и чуть дальше № 7 – *Чирколо делл'Унионе*, построенный **Вазари** по проекту **Джамболонья**; интересно также здание XV века под № 16, расположенное после перекрёстка – *Палаццо Корси*, творение **Микелоццо**, с лоджией, перестроенной **Чиголи** в 1608 г.

❿ Церковь Сан Гаэтано (площадь Антинори)

Церковь, посвящённая монашескому ордену Театинцев, является классическим образцом

⑪

городской архитектуры барокко (1638 г.). Внутри церковь облицована чёрным мрамором.

⑪ Площадь и Палаццо Строцци

Дворец был построен в конце XV века купцом Филиппо Строцци Старшим. Проект **Б. да Майано** предусматривал конструкцию в виде куба из рустованного камня, с идентичными фасадами с трёх сторон здания. Работу над проектом продолжил Кронака, соорудивший в 1502-1503 гг. выступающий карниз по периметру здания и дворик с крытой галереей, состоящей из колонн и портиков. В 1538 году работы были прерваны; южный фасад и половина карниза остались незавершёнными. Интересны также работы из кованого железа прикреплённые вокруг здания: крюки для знамён и для привязки лошадей, фонари, держатели для факелов и флагов.

В настоящее время здание является государственной собственностью. Некоторые залы дворца отведены под выставочный центр; среди учреждений, занимающих помещения в здании, упомянём Кабинет Ж. П. Вьёссо, – организация, основанная швейцарским торговцем Жан Пьер Вьёссо в 1819 г. с целью поддержки научной и литературной деятельности и располагающая обширной библиотекой – около 650 тыс. томов – открытой для широкой публики, а также реставрационной мастерской.

⑫ Площадь Республики

Площадь появилась между 1885 и 1895 гг. на месте старинных строений Старого рынка и античного Римского Форума, в соответствии с планом обустройства зоны. В действительности, площадь кажется сейчас элегантной гостиной под открытым небом благодаря множеству престижных кафе. В старые времена, тем не менее, здесь находились еврейское гетто, рыбная лоджия Вазари, находящаяся сейчас на площади Чомпи, и другие здания.

По проекту В. Микели была построена также триумфальная арка и ряд боковых портиков. В 1951 г. на площади была воздвигнута

Колонна Изобилия, указывающая точку пересечения древнеримских линий городской планировки – кардо и декумано.

🔞 Лоджия Нового Рынка

Называется также *Соломенная* лоджия или Лоджия *Поросёнка*, бдагодаря скульптуре фонтана, изображающей на самом деле кабана, – бронзовой копии оригинальной работы **П. Такка**.

Лоджия, в форме квадрата, была заказана Козимо I архитектору Дж. Б. дель Тассо (1551 г.) с целью размещения в этом месте торговых предприятий всех важнейших гильдий того времени. В XIX веке лоджия была украшена статуями. В дневное время площадь занята лотками, торгующими изделиями флорентийских ремесленников.

🔞 Площадь Партии Гвельфов

Представляет собой группу зданий средневековой постройки, среди которых представляют особый интерес бывшая церковь Санта Мария Сопрапорта (в настоящее время – библиотека) и Паладжо деи капитани ди Парте Гвельфа – магистратура капитанов гвельфской партии. Здание было расширено Брунеллески и Вазари в XIV веке и перестроено в начале XX века. В наши дни здание занято Обществом поддержки Исторического Флорентийского Футбола и периодически становится местом проведения выставок и культурных мероприятий.

Кабанчик, Лоджия Нового Рынка
Скеджа, Джоко дель Чиветтино, Музей Старинного Флорентийского Дома

⓯ Палаццо Даванцати (площадь Даванцати)

Музей Старинного Флорентийского Дома – Дворец был построен по заказу купцов Давицци в XIV веке, но с 1578 г. перешло во владение семьи Даванцати, занимавшей его вплоть до 1838 г. После этого здание не раз сменило хозяев. пока, наконец, не перешло в собственность государства, и в 1956 г. музей был открыт для посетителей. Интересны детали из кованого железа, прикреплённые на внешней стороне фасада и служившие для привязки лошадей, «эрри» – шесты для вывешивания снаружи белья и клеток с птицами, и рядом с окнами – держатели для факелов и флагов. Музей располагает коллекцией мебели (комоды, кровати, буфеты, столы и стулья), картин, статуй, гобеленов и предметов повседневного обихода (тазы, кувшины, тарелки, лампы, ткацкие станки и гладильные утюги) XIV века. Залы отличаются яркостью цветов отделки стен; особенно примечательны Зал Попугаев и Зал Павлинов.

⓰ Площадь Ручеллаи

Эта площадь треугольной формы была спроектирована Л. Б. Альберти во второй половине XV века. На площадь выходит Палаццо Ручеллаи, возведенный в несколько приёмов, с 1455 по 1470 г. Б. Росселлино по проекту его учителя Альберти. В здании были размещены фотографический архив Алинари и Музей Истории Фотографии Братьев Алинари (в настоящее время перенесенный по адресу Ларго Фрателли Алинари, 15), в котором хранится коллекция старинных фотографических аппаратов и организуются фотовыставки. Напротив дворца расположена Лоджия Ручеллаи, состоящая из трёх арок, украшенных фамильными эмблемами (кольца с бриллиантами и перьями и паруса); здесь в своё время организовывались семейные празднества.

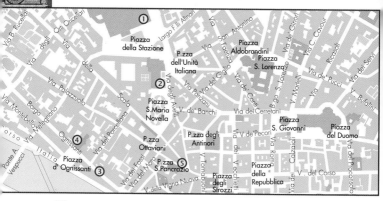

❶ Вокзал Санта Мария Новелла

Здание железнодорожного вокзала находится с тыльной стороны Базилики Санта Мария Новелла; было построено между 1933 и 1935 гг. по проекту «Группо Тоскано», возглавляемой Дж. Микелуччи. Представляет собой строение современной архитектуры из твёрдого камня, прекрасно вписывающееся в окружающий антураж старинной архитектуры. Внутренняя отделка характерна наличием большого стеклянного перекрытия, мраморной и серпентинитовой кладкой пола и богатством функциональных деталей – скамейки, багажные полки и бронзовые питьевые фонтанчики. Стенная роспись, выполненная темперой, представляет собой два пейзажа работы **О. Розай**.

❷ Площадь Санта Мария Новелла

Обустройство одной из самых красивых площадей города началось в 1287 г. по решению Муниципалитета и длилось около 40 лет. С тех пор она служила средоточием религиозной и социальной активности города (именно здесь с 1563 г. проводился *палио дей Кокки*, – скачки по дистанции, отмеченной двумя расположенными на площади мраморными обелисками, опирающимися на черепах работы Джамболонья).

На площадь выходят церковь Санта Мария Новелла и – напротив неё – Лоджия больницы Св. Павла, древнейшего фонда социальной помощи XIII века, упразднённого Великим Герцогом Пьетро Леопольдо в 1780 г. Арки здания украшены медальонами из глазурованной терракоты работы **А. делла Роббиа.**

Базилика Санта Мария Новелла

История этого религиозного комплекса восходит к 1221 г., когда несколько монахов-доминиканцев поселились в старинной церкви Санта Мария делле Винье (XI век). Со временем они начали постройку новой церкви, заложенной в 1278 г. Работы, осуществляемые под руководством монахов-архитекторов Систо и Ристоро, закончились в середине XIV века, хотя готический фасад здания так и не был за-

кончен; новая церковь была освящена папой Мартином V только в 1420 г. В ходе подготовки к Церковному Собору 1439 г. была вновь поднята проблема завершения фасада и проект, ставший возможным благодаря финансированию богача Джованни Ручеллаи, был поручен Альберти. Перед последним стояла непростая задача интегрировать в общий, типичный для Возрождения рисунок фасада, готические элементы, уже реализованные к тому времени. Результат превзошёл все ожидания – мастеру удалось добиться уникальной гармонии цветов и пропорций. Нельзя не отметить красивый треугольный тимпан с изображением лучезарного солнца – символа доминиканцев. Альберти добавил к рисунку фриз с заглавными буквами имени Джованни Ручеллаи, дату 1470 г. и гербы семьи; в 1574 г. были добавлены стрелка солнечных часов с правой стороны и армиллярная сфера слева.

Планировка церкви, интерьер которой претерпел множество изменений в течение столетий, представляет собой латинский крест с тремя нефами, разделёнными каменными колоннами. Список авторов, произведения которых хранятся в стенах базилики (Джотто, Орканья, Брунеллески, Мазаччо и Филиппино Липпи), количество и качество представленных работ таковы, что по праву делают музей одним из самых престижных флорентийских собраний.

Здесь находится целый ряд фамильных капелл, среди которых упомянём только самые

Капелла Филиппо Строцци

интересные: ПРАВЫЙ НЕФ (II пролёт) *Надгробие блаженной Вилланы* (1451 г.) работы **Росселлино** и **Д. да Сеттиньяно**; (IV пролёт) КАПЕЛЛА ПУРА (Чистая), построенная семьёй Риказоли в 1473 г. для чудотворной иконы Мадонны – покровительницы флорентийских матерей; в глубине нефа, повернув направо, можно подняться по ступеням в КАПЕЛЛУ РУЧЕЛЛАИ, алтарь которой украшен мраморной скульптурой *Мадонны с Младенцем* работы **Н. Пизано** (середина XIV века); с правой стороны ТРАНСЕПТА находится КАПЕЛЛА БАРДИ, с калиткой из кованого железа и светильниками XVIII века, в верхней части правого пилястра находится картина, написанная ещё до постройки Базилики – *Св. Григорий, благословляющий основателя капеллы*, а алтарь украшен картиной **Вазари** *Мадонна дель Розарио* (1570 г.); в КАПЕЛЛЕ Филиппо Строцци, расписанной фресками (1502 г.) **Филиппино Липпи,** находится *Гробница Филиппо Строцци* работы **Б. да Майано**; цикл фресок Главной капеллы, называемой также Торнабуони, исполненный **Д. дель Гирландайо** (1490 г.), посвящен Деве Марии; в сценах на религиозные темы (таких, как *Жизнь Девы Марии, Истории Св. Иоанна Крестителя, Евангелисты*) запечатлены многие известные деятели современной художнику эпохи; интересны также резные деревянные хоры, работы **Б. д'Аньоло** и алтарное бронзовое *Распятие* скульптора **Джамболонья**; КАПЕЛЛА Гонди, облицованная мрамором и порфиром **Дж. да Сангалло** (1503 г.), известна также *Распятием* – единственной деревянной скульптурой работы **Брунеллески**; КАПЕЛЛА ГАДДИ облицована мрамором и полудрагоценными камнями и украшена фресками **А. Аллори** на темы *Жития Св. Иеронима* и *Добродетелей;* ЛЕВЫЙ ТРАНСЕПТ примечателен капеллой Строцци из Мантуи, украшенной *фресками* (1350-1377 гг.) **Н ди Чионе**, сюжеты которых взяты из *Божественной Комедии* Данте, а сам писатель изображён в глубине левой части росписи; алтарной картиной служит доска художника **Орканья** *Воскреснувший Иисус, передающий ключи Св. Петру и книгу Св. Фоме, Мадонна, Св. Иоанн Креститель и другие святые* (1357 г); Ризница базилики выполнена в готическом стиле: отметим мра-

Ф. Брунеллески, *Распятие*
Джотто, *Распятие*
Мазаччо, *Троица*
Зеленый двор

морную чашу для омовения рук, украшенную глазурованной террако-той **Дж. делла Роббия**, шкафчики для мощей, изготовленные по эски-зам Буонталенти и деревянное *Распятие* **Джотто** над входной дверью; в левом нефе (IV пролёт) привлекает внимание фреска *Троица с Ма-донной, Св. Иоанном и коленопреклонёнными заказчиками-супруга-ми Ленци* работы **Мазаччо**, под которой изображён *лежащий скелет* (ок. 1427 г.), – фундаментальная в истории искусства работа, в которой художник применил математические принципы перспективы, разра-ботанные Брунеллески; неподалёку находится мраморная *кафедра* (1462 г.), построенная по проекту Брунеллески.

МУЗЕЙ СВЯЩЕННОГО ИСКУССТВА САНТА МАРИЯ НОВЕЛЛА И МОНАСТЫР-СКИЕ ДВОРЫ

Музей состоит из прилегающих к базилике трапезной и внутренних двориков, дополняющих религиозный комплекс.

ЗЕЛЁНЫЙ ДВОРИК: был построен Фра (монахом) **Я. Таленти** (1332-1350 гг. и после); он окружён арками коробового типа, настенная роспись по сюжетам *Книги Бытия* (1425-1430 гг.) принадлежит **П. Уччелло**, использовавшего ярко-зелёный фон фресок (отсюда пош-ло название двора), наиболее впечатляющими из которых являются *Сотворение животных, Первородный грех, Ноев Ковчег, Вселен-ский Потоп и Опьянение Ноя.*

ЗАЛ КАПИТУЛА ИЛИ ИСПАНСКАЯ КАПЕЛЛА – По повелению Элеоноры Толедской был предоставлен испанским дворянам из её свиты для отправления религиозных служб; представляет собой прямоуголь-ное помещение с единым крестовым сводом, опирающимся на боль-шие арки. Паруса потолочных сводов и стены полностью покрыты фресками **А. ди Буонаюто**, составляющими единый художественный цикл, прославляющий усилия доминиканцев в борьбе с инакомысля-щими, среди которых: *Плавание Св. Петра, Воскресение, Троицын день, Воинствующая церковь и Триумф Св. Фомы Аквинского.*

Дворик усопших – существовал ещё до поселения здесь монахов и представляет собой пространство, ограниченное с двух сторон пор-тиками с крестовыми сводами, опирающимися на восьмиугольные

П. Уччелло, *Сюжеты Книги Бытия и Истории Ноя*
А. ди Буонаюто, *Триумф Св. Фомы Аквинского*, Испанская Капелла
Д. Гирландайо, *Тайная Вечеря*
Боттичелли, *Св. Августин в келье*

колонны; здесь находится ПОГРЕБАЛЬНАЯ КАПЕЛЛА Строцци, расписанная фресками школы Орканья.

ТРАПЕЗНАЯ – здесь находится музей священного искусства, в котором экспонируются предметы, принадлежавшие братьям-доминиканцам, – картины, ларцы для хранения реликвий, религиозная мебель и убранство, среди которых отметим синопии **П. Уччелло**, бюсты-ларцы С. Орсола, рака из горного хрусталя со знаком Страстей Господних, Тайную вечерю (1584 г.) **А. Аллори**.

БОЛЬШОЙ МОНАСТЫРСКИЙ ДВОР И ПАПСКАЯ КАПЕЛЛА – Оба помещения заняты службами Унтер-офицерской школы карабинеров, поэтому доступ возможен только с разрешения командования Школы. В 1515 г. капеллу посетил папа Лев X де Медичи, и к его приезду она была украшена фресками работы **Р. Гирландайо** и **Понтормо**, написавшего *Веронику*.

❸ БОРГО ОНЬИСАНТИ (ВСЕХ СВЯТЫХ)

Примечателен *Дом-галерея* под № 26, построенный в 1911 г. архитектором **Дж. Микелацци**, – один из немногих образцов архитектуры либерти во Флоренции.

❹ ЦЕРКОВЬ ОНЬИСАНТИ

Самое заметное здание на площади Оньисанти – это одноимённая церковь, заложенная в 1251 г. религиозным орденом Гумилиатов (смиренников), занимавшимся прядением и ткачеством шерстяных тканей; здесь, благодаря близости реки и наличию мельниц и мастерских, обосновался центр Братства.

Колокольня церкви выполнена в средневековом стиле, в то время, как фасад, перестроенный в 1637 г. М. Ниджетти, выполнен в стиле барокко. Привлекают внимание герб города и люнет над входным порталом из глазурованной терракоты, изображающий *Коронование Девы Марии и святых*.

Интерьер церкви состоит из одного нефа с трансептом. В правой части II алтаря находятся снятые со стен фрески работы **Гирландайо** на сюжеты *Пьета, Снятие с Креста* и *Мадонна делла Мизерикордия*; в III алтаре находится доска *Мадонна и Святые* работы **Санти ди Тито** (1565 г.), следует красивейшая фреска **Боттичелли**

❹

Св. Августин в келье (ок. 1480 г.), а почти напротив – *Св. Иероним в келье* работы Гирландайо; обе фрески отделены от стены. В КАПЕЛЛЕ за I алтарём, в правом трансепте примечательна встроенная в пол надгробная мраморная плита Боттичелли и его семьи Филипепи.

ГЛАВНЫЙ АЛТАРЬ был реализован в 1593-1595 гг. **Я. Лигоцци** из полудрагоценного камня, в то время, как бронзовое *Распятие* – работа **Дж. Б. Ченнини**.

В РИЗНИЦЕ можно найти следы фресок XIV века, принадлежащих кисти **Т. Гадди,** и крест школы Джотто. Осмотр религиозного комплекса завершается визитом в ещё один внутренний дворик и в трапезную, где находится восхитительная фреска работы **Гирландайо** *Тайная Вечеря.*

5 МУЗЕЙ МАРИНО МАРИНИ (площадь Сан Панкрацио)

С 1988 г. помещения бывшей церкви Сан Панкрацио приспособлены под экспозицию работ художника Марини (1901-1980 гг.). Внутреннее пространство церкви разделено на три уровня, следуя тематической логике и хронологии творчества мастера. Выделяются такие работы, как *Девы* (1920 г.), – масло и холст, близкая по стилю к Пьеро делла Франческа и Мазаччо, *Ландскнехт* и *Циркачи* (1954 г.), гипсовая скульптура *Виктории* (1928 г.), деревянная скульптура *Пловец,* бронзовая фигура *Лошади* и терракота *Анита* (1943 г.).

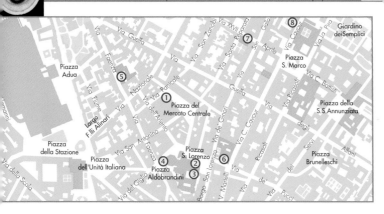

❶ Центральный Рынок Сан Лоренцо

Здание, построенное для размещения продуктовых лотков, и до сих пор выполняющее эту функцию, было возведено по проекту Дж. Менгони в 1874 г. и представляет собой одну из самых известных конструкций из стекла и стали.

Площадь Сан Лоренцо

Просторная площадь, известная своим рынком, окружена строениями XV-XVI веков, среди которых, помимо одноимённой церкви, привлекает внимание дворец *Лоттеринги делла Стуфа* под № 4. Напротив церкви установлен *памятник Джованни делле Банде Нере* (1540 г.) – одному из родоначальников династии Медичи работы **Б. Бандинелли.**

❷ Базилика Сан Лоренцо

Освящённая в 393 г. Св. Амброзием и посвящённая мученику Лоренцо, эта церковь была главным кафедральным собором города

вплоть до VIII века. В 1059 г. церковь была отстроена в романском стиле, и вновь освящена. В 1418 г. Медичи стали попечителями церкви и решили вновь перестроить её на свои средства и за счёт пожертвований самых влиятельных семей из близлежащих кварталов, получив в награду право на фамильную капеллу внутри базилики. Работы были поручены Брунеллески, представившему в 1421 г. свой проект перестройки Джованни де Медичи, в то время гонфалоньеру города. Реконструкция церкви была завершена в 1461 г.; первоначальный проект был расширен путём постройки библиотеки и мавзолея Капеллы Принцев. Внутреннее убранство, несмотря на переделки XIX века, впечатляет гармоничностью пропорций и необычной отделкой стен серым камнем в комбинации с белой штукатуркой. Церковь располагает ценной коллекцией произведений искусства: во II Капелле правого нефа хранится *Обручение Девы Марии* (1523 г.) работы **Р. Фиорентино**, а между последней капеллой правого нефа и трансептом находится мраморный *алтарь таинств* (ок. 1460 г.) **Д. да Сеттиньяно**. Под двумя крайними арками центрального нефа установлены, одна напротив другой, две бронзовые кафедры в форме арок, опирающиеся на ионические колонны – поздняя работа **Донателло**. В Главной капелле примечателен алтарь, отделанный полудрагоценными камнями Фабрикой Твёрдого Камня (1787 г.). В первой капелле ЛЕВОГО КРЫЛА ТРАНСЕПТА достойна

Россо Фиорентино, *Обручение Девы Марии*

Донателло, *Кафедра Воскресения*

Старая Ризница

П. и Ф. Такка, Памятник
Фердинандо I

внимания деревянная скульптура **Дж. Фетти**, изображающая *Мадонну с Младенцем*. Во II капелле привлекает внимание алтарная картина *Аббат Св. Антоний на троне со святыми Лаврентием и Юлианом* мастерской **Д. Гирландайо.**

СТАРАЯ РИЗНИЦА

В глубине левого трансепта находится проход в Старую Ризницу, построенную Брунеллески с 1421 по 1426 г. под капеллу Джованни де Медичи. Внутреннее убранство капеллы было поручено Донателло и включает: *барельефы* с ангелами вдоль стен, *люнеты* над входной дверью, чаши для омовения рук с изображениями *Св. Козьмы и Дамиана*, покровителей семейства Медичи, с правой стороны и *Св Лаврентия и Стефана* по левую руку, на стенах – «тондо» с изображениями *Евангелистов* и пинакли со сценами из жизни *Св. Иоанна Евангелиста*. Расположенная в центре помещения мраморная доска работы **А. иль Баджано**, украшенная фестонами, ангелами и гербами Медичи, обозначает местоположение *гробницы Джованни ди Биччи де Медичи и его супруги Пиккарды Буэри*. По левую руку установлен надгробный памятник Пьеро и Джованни де Медичи, сыновей Козимо Старшего, изготовленный в 1472 г. и отделанный порфиром Верроккио. Положение звёзд, нарисованных на потолке абсиды, указывает дату 4 июля 1442 г. Вернувшись в базилику, можно посетить капеллу Святых Козьмы и Дамиана, называемую также «капеллой Реликвий», так как здесь расположены шкафы для ларцов для хранения реликвий. КАПЕЛЛА МАРТЕЛЛИ: последняя в ряду капелл левого нефа; здесь хранится алтарная картина *Благовещение* работы **Филиппо Липпи**. ПЕРВЫЙ МОНАСТЫРСКИЙ ДВОР: спустившись в садик первого двора, можно увидеть на стенах многочисленные мемориальные доски, посвящённые известным литераторам и выходцам из благородных семей.

❸ **БИБЛИОТЕКА МЕДИЧИ-ЛАУРЕНЦИАНА** (вход из монастырского двора)
Построена в 1524 г. Микеланджело по распоряжению папы Климента VII де Медичи

для размещения библиотеки, начало которой положил ещё Козимо Старший. Собрание содержало драгоценные манускрипты, среди которых – греко-египетский папирус III века до н.э. и великолепные рукописные миниатюры. Постройка помещения была закончена в 1568 г. благодаря усилиям Амманнати и Вазари. Главный Зал вмещает 28 скамей и пюпитров. Привлекает внимание потолок, украшенный деревянной резьбой (1550 г.), и пол из обожжённой плитки, со сходным узором.

❹ КАПЕЛЛЫ МЕДИЧИ (площадь Мадонны Альдобрандини, 6)
Включают КАПЕЛЛУ ПРИНЦЕВ и НОВУЮ РИЗНИЦУ. Идея проекта Мавзолея, прославляющего династию Медичи, принадлежит Козимо I, но была реализована только при Фердинанде I (1644 г.) архитектором М. Ниджетти.
Первым на входе является фамильный склеп работы Буонталенти, в четырёх нишах которого покоятся останки Великих Гёрцогов Медичи и Лорена, таких, как Джованни делле Банде Нере и Анна Мария Луиза. В подземелье (открытом только во время выставок) находятся *Гробница Козимо Старшего* работы **Верроккио** и *Надгробная плита Донателло*. По лестнице можно подняться в капеллы. Помещение имеет восьмиугольную форму и покрыто куполом, расписанным уже в 1828 г. *Сценами из Нового и Ветхого Завета*. Поражает великолепное убранство стен, облицованных мрамором и драгоценными камнями мастерами Фабрики Твёрдого Камня, завершившими в 1962 г. также и настил пола. В цокольной части расположены гербы тосканских городов, покорённых Великим Гёрцогством, скомпонованные из полудрагоценных камней, ляпис-лазури, кораллов и перламутра. Здесь находятся захоронения членов семьи Медичи – от Козимо I до Козимо III; каждый саркофаг должен был быть украшен статуей усопшего, но были реализованы (XVII век) скульпторами П. и Ф. Такка только фигуры из позолоченной бронзы Фердинандо I и Козимо II. СОКРОВИЩЕ ЛОРЕНЦО: около алтаря в двух углублениях хранятся дарохранительницы, среди которых – вазы из горного хрусталя, принадлежавшие Лоренцо Великолепному.

НОВАЯ РИЗНИЦА
Пройдя через коридор, посетители попадают в помещение, строительство которого, по заказу папы Льва X, начал Микеланджело в 1520 г. для размещения останков членов семьи Лоренцо Великолепного. Работы продвигались медленно и были закончены Амманнати и Вазари только в 1555 г
Помещение имеет квадратную форму и покрыто куполом. У ног *Мадонны с Младенцем* (1521 г.) работы Микеланджело покоятся останки Лоренцо де Медичи и его брата Джулиано. За ними следует статуя Джулиано – герцога ди Немур в доспехах; его саркофаг украшен фигурами *Дня* – с правой стороны и *Ночи* – с левой, с символами ночи – маком и сипухой. У противоположной стены установлен памятник Лоренцо – Гёрцога Урбинского (1533 г.), внука Лоренцо Великолепного, изображённого в облике военачальника в раздумье, со скульптурами *Зари* и *Сумерек*. Дополняет убранство зала алтарь

с бронзовым *Распятием*, приписываемым мастеру **Джамболонья**.

❺ **ТРАПЕЗНАЯ ФОЛИНЬО** (улица Фаенца, 40)
Архитектурный комплекс бывшего женского монастыря Фолиньо широко известен благодаря Тайной вечере, – картине, выполненной по эскизу **Перуджино** его учениками и хранящейся в монастырской трапезной, называемой также ЗАЛОМ ТАЙНОЙ ВЕЧЕРИ.

❻ **ДВОРЕЦ МЕДИЧИ РИККАРДИ** (улица Кавур 1, бывшая улица Ларга)
Сейчас в здании размещается Префектура и некоторые административные службы, но в своё время этот дворец был первым пристанищем Медичи в самом начале их восхождения к верховной власти в городе: в 1437 г. Козимо Старший поручил **Микелоццо** ди Бартоломео построить на этом месте новую резиденцию. Фасадные окна флорентийского типа украшены гербом Медичи, в то время, как на углах фасада, помимо большой эмблемы Медичи, можно заметить также герб семьи Риккарди, вступившей во владение дворцом в 1659 г. Новые обитатели расширили дворец, пристроив новое крыло, но сохранив при этом архитектурный стиль здания.
Дворы – непременно рекомендуется посетить двор, созданный Микелоццо, характеризующийся портиком, поддерживаемым коринфскими колоннами. Здесь хранится часть *коллекции Риккарди*, насчитывающей около 300 археологических памятников. Второй двор здания представляет собой сад со статуями и лимонными деревьями.

КАПЕЛЛА ВОЛХВОВ
Лестница работы Дж. Б. Фоджини, первая направо, ведёт в великолепную КАПЕЛЛУ ВОЛХВОВ, расписанную фресками **Б. Гоццоли**. В зале квадратной формы находится небольшая трибуна, служившая алтарём; на ней установлена алтарная картина, изображающая *Рождество*. Стены зала были расписаны в 1460 г. сценами *Шествия Волхвов*, перекликающимися с темой алтарного образа. Среди персонажей, в са-

мом деле, можно узнать в мальчике на лошади с рысью, Джулиано – брата Лоренцо, а также Пьеро Ґоттозо в толпе рыцарей, следующих за Лоренцо Великолепным в позолоченных доспехах. Во всаднике с головой, украшенной золотой звездой, можно узнать Ґалеаццо Мария Сфорца, а сам Гоццоли изображён в красном берете с золотой надписью «Opus Benotii». Осмотр дворца завершается посещением зала, названного «Четыре Времени Ґода» благодаря сюжетам гобеленов XVII века, украшающим его стены, и Ґалереи, оформленной в стиле барокко архитектором П. М. Балди, где внимание посетителей приковывает Мадонна с Младенцем **Филиппо Липпи** (ок. 1452 г.). К зданию Дворца примыкает Библиотека Риккардиана (вход с улицы де Джинори, 10), открытая для публики с 1715 года, и насчитывающая около 4000 манускриптов, среди которых миниатюра *Вир-гилий Риккарди*, 700 инкунабул и более 50 тысяч печатных книг.

❼ Трапезная Санта Аполлония (улица XXVII апреля, 1)

Зал использовался в качестве трапезной старинного (основан в 1339 г.) бенедиктинского женского монастыря Св. Аполлонии. После передачи в собственность государства, здесь в 1891 г. был открыт Музей Андреа дель Кастаньо, – художника, работавшего в 1444 г. над росписью стен. Самыми впечатляющими сценами являются *Воскресение, Распятие* и, конечно же, *Тайная Вечеря*.

❽ Двор монастыря Скальцо (улица Кавур, 69)

Получил своё название благодаря традиции, согласно которой монах ордена Флагелланов Св. Иоанна Крестителя, несущий крест во время процессий, должен был идти босиком. Монастырский двор был расписан художником **А. дель Сарто** в первые десятилетия XVI века *сценами из Жития Св. Иоанна Крестителя*, но две сцены были исполнены **Франчабиджо** в 1518 г.

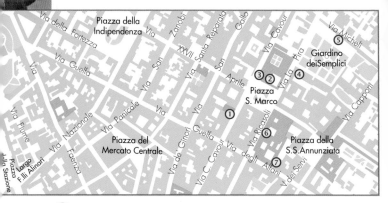

❶ Библиотека Маручеллиана (улица Кавур, 43)

Важный культурный центр, основанный на рубеже XVII и XVIII веков знатным дворянином, а затем аббатом Франческо Маручелли, был открыт для широкой публики уже в 1752 г. и в настоящее время располагает огромным книжным достоянием, насчитывающим 554 тысяч томов, 2574 манускриптов и 30405 писем и документов.

❷ Церковь Сан Марко (площадь Сан Марко)

В 1437 г. Козимо Старший поручил Микелоццо расширить старинное здание римско-готической архитектуры, принадлежавшее монастырю, основанному ещё в XIII веке; новая церковь была освящена в 1443 г. Здесь проживали Беато Анджелико и Фра Бартоломео, Св. Антонино – епископ Флоренции и, конечно же, проповедник Фра Джироламо Савонарола. В более поздние времена церковь подверглась реконструкции: в 1780 г. фасад здания был переделан в стиле позднего барокко; что касается внутреннего интерьера, в XVI веке Джамболонья перестроил боковые капеллы, а в конце XVII века Сильвани обновил трибуну и потолок. Внутри этой церкви с единственным нефом представляют интерес: *Распятие* школы Джотто с внутренней стороны фасадной стены, и I справа алтаре *Св. Фома, молящийся перед Распятием* (1593 г.) – работа **Санти ди Тито**, во II алтаре – *Мадонна со святыми* художника Баччо делла Порта, известного под именем Фра Бартоломео, в IV алтаре – скульптура **Джамболонья** *Св. Зиновий*. В ризнице работы Микелоццо находятся саркофаг из чёрного мрамора с бронзовой фигурой Св. Антонино, приписываемой Джамболонья и литургические одеяния Св. Антонино, изготовленные по эскизу **А. Аллори** (XVI век). Фрески, украшающие купол, были завершены в 1712 г. и принадлежат кисти А. Герардини. Главный алтарь украшен *Распятием* (1425-1428 гг.) работы **Беато Анджелико**.

Через клирос можно пройти в Капеллу Серральи или Причастия, украшенную фресками Санти ди Тито и **Б. Поччетти**. С левой стороны нефа находится капелла Св. Антонино или Сальвиати, расписанная **Дж. Б. Балдини**. Кисти Пассиньяно принадлежат фрес-

ки в церковном притворе, в то время, как Джамболонья работал над бронзовыми барельефами со *сценами из жизни Св. Антонино*. Вернувшись в церковь, остановимся у III алтаря, где установлены надгробные плиты средневековых гуманистов *Джованни Пико делла Мирандола* и *Полициано*.

❸ Музей Сан Марко

В 1866 г. часть помещений монастырского комплекса была переоборудована в музей, вход в который находится в монастырском дворе Св. Антонино, построенном Микелоццо и расписанном фресками, самой впечатляющей из которых является *Св. Доминик, преклоняющий колени перед распятым Христом* работы Беато Анджелико; другие работы мастера находятся в соседней Богадельне, – помещении, использовавшемся, чтобы дать приют самым бедным паломникам. Среди самых значительных картин Анджелико упомянём также *Снятие с креста* (1432 г.); *алтарный образ Св. Марка* и *алтарный образ Аннелена*; *Дарохранительнищу Прядильщиков льна*, с нежнейшими 12 музицирующими ангелочками и буфет для столового серебра с 35 панно, посвящённых жизни Иисуса. Ещё одна работа мастера – фреска, изображающая *Распятие и святых* (1442 г), наряду с деревянным *Распятием* (1496 г.) **Б. ди Монтелупо** украшают Зал для Собраний; любопытен колокол, прозванный «Плакса», так как именно его набат созвал сторонников Савонаролы, когда проповедник был схвачен солдатами армии Медичи в 1498 г. Отсюда можно пройти в Трапезную, украшенную фреской **Д. Гирландайо** *Тайная Вечеря* (ок. 1480 г.). На первом этаже располагаются и другие залы, среди которых – *Зал для Омовения рук*, с фреской П. Уччелло в люнете, картинами Фра Бартоломео и М. Альбертинелли и *Мадонной с Младенцем на Троне* из глазурованной терракоты работы **Л. делла Роббиа**. Зал Фра Бартоломео полностью посвящён творчеству художника, написавшего здесь *Страшный Суд* (1499 г.) и *Портрет Джироламо Савонаролы*.
Второй Этаж – состоит из трёх следующих один за другим коридоров, окружающих

Б Гоццоли, *Шествие Волхвов*, фрагмент

Дворик С. Антонино

Фра Бартоломео, *Портрет Джироламо Савонаролы*

двор Св. Антонино и части, где располагаются 43 монашеские кельи. Здесь Анджелико с помощью таких учеников, как Гоццоли, написал в период с 1442 по 1445 гг. *Цикл фресок* (вполне вероятно, синопии были его работы). Среди самых известных сцен упомянём: *Благовещение* (подписана около 1440 г.), *Распятие, Коронование терновым венцом, Не касайся меня* и *Преображение*. В келье 25 находится *Мадонна теней*. В Третьем Коридоре можно узнать руку **Гоццоли** в *Искушении Христа, Молитве в саду* и *Поклонении Волхвов* – фреске, украшающей личную келью Козимо Старшего. Здесь же расположен вход в библиотеку, где поочерёдно экспонируются 115 миниатюрных рукописных книг работы знаменитых художников, среди которых – Анджелико и Д. Гирландайо.

❹ **Музей Естествознания** (улица Дж. ла Пира, 4)

Начало музейной коллекции было положено в 1775 г. Великим герцогом Пьетро Леопольдо ди Лорена. Огромное количество собранного материала обусловило решение разделить коллекцию на несколько частей, размещённых в разных местах Флоренции. В этом здании хранятся коллекции Музея Минералогии и Литографии (около 45 тысяч образцов минералов), Музея Геологии и Палеонтологии (около 300 тысяч экспонатов окаменелостей и каменных пород и млекопитающее третичного периода) и

Ботанического Музея, основанного в 1842 г. Филиппо Параторе и являющегося ныне, со своими 12 залами, самой крупной экспозицией такого рода в Италии.

❺ **Сад деи Семпличи или Ботанический Сад** (улица Пьер Антонио Микели, 3, открыт в летний сезон).

Это – музей под открытым небом, основанный Козимо I де Медичи в 1550 г. и занимающий примерно 2 гектара земельных угодий. Проект сада был заказан Триболо, но впоследствии претерпел многочисленные изменения; среди «старожилов» упомянём тисовое дерево, посаженное Микели в 1720 г. Здесь растут 6000 видов растений, собранные со всего мира.

❻ **Галерея Академии** (улица Риказоли, 60) Была основана Пьетро Леопольдо в 1784 г. в качестве учебной мастерской для учащихся близлежащей Академии Изящных искусств и располагала вначале только работами флорентийской школы XIV-XVI веков, считавшихся единственными образцами хорошей живописи. Благодаря кампании по упразднению монастырей и монашеских братств, проведенной в конце XVIII века, коллекция Галереи разрослась за счёт значительного притока картин на религиозные темы, постепенно уменьшавшегося после перемещения сюда в 1873 г. *Давида* **Микеланджело**. С XX века экспозиция музея обогатилась за счёт поступления других

Б. Анджелико:
Благовещение;
Снятие с креста;
Осмеянный Христос, Дева Мария и Св. Доминик;
Табернакль Прядильщиков Льна
Галерея Академии:
Микеланджело, *Давид*, Галерея
Русская школа, *Святая Екатерина*

Микеланджело: *Рабы* (*Атлант, Молодой раб, Пробуждающийся раб, Бородатый раб*);

Св. Матфей

П. ди Буонагвида, *Дерево Жизни*

Филиппино Липпи и Перуджино, *Снятие с Креста*

А. Страдивари, Альт-тенор

работ знаменитого художника, коллекции гипсовых скульптур XIX века и коллекции русских икон из частных собраний Лорена.

Зал Колосса – Во втором из 9 залов музея установлена оригинальная гипсовая модель *Похищения сабинянок* **Джамболонья**. Среди картин, украшающих зал, упомянём *Мистическое обручение Св. Екатерины* Фра Бартоломео и *Снятие с Креста* **Филиппино Липпи** и **Перуджино**.

Галерея – Здесь выставлены четыре незаконченные скульптуры *Рабов* Микеланджело (ок. 1530 г.), предназначавшиеся для большого мавзолея папы Юлия II в Риме. Они были подарены внуком художника Великому Герцогу Козимо I, распорядившемуся установить их внутри грота Буонталенти сада Боболи. Впоследствии они были перенесены в Галерею для обеспечения их сохранности. Скульптурная группа включает в себя: по правую руку – *Юный Раб* и *Бородатый Раб*, слева – *Просыпающийся Раб* и *Атлант*. Среди работ Микеланджело в 1831 г. была установлена также скульптура *Св. Матфея*, – часть незаконченной скульптурной серии апостолов, предназначавшейся для украшения капелл хоров Кафедрального Собора. Здесь же находится *Пьета Палестрина* (ок. 1550 г.), – произведение, приписываемое великому мастеру, хотя его авторство ещё окончательно не подтверждено.

Давид находится в конце Галереи, в Трибуне неоклассического стиля, построенной специально для установки скульптуры

(1882 г.). Грандиозная статуя, в 4,10 м высотой, была высечена Буонаротти в период с 1501 по 1504 гг. Выбор этого мифического персонажа был обусловлен тем, что Давид долгое время был символом города Флоренции – олицетворением хитрости, побеждающей грубую силу. Скульптура была предназначена для трибуны Кафедрального Собора, но впоследствии было принято решение разместить её напротив Палаццо Веккио, в ознаменование гражданских и политических свобод. В боковых крыльях Трибуны выставлены и другие работы современников великого художника, среди которых упомянём *Венеру и Амура* (ок. 1535 г.) **Понтормо**, выполненную по эскизам Микеланджело. Любопытны также другие работы: *Вступление Христа в Иерусалим* **Санти ди Тито** и *Диспут о Непорочном Зачатии* **К. Портелли**.

Залы флорентийских мастеров – Здесь хранятся картины флорентийской школы XV века. Выделяются величественный *Ларь Адимари* – творение **Скеджа**, с точным воспроизведением сцены свадебной процессии вокруг Баптистерия, *Тебаиде*, приписываемая **П. Уччелло**, *Мадонна с Младенцем, Св. Иоанн Креститель и два ангела* (ок. 1468 г.), – ранняя работа **Боттичелли** и нежная *Мадонна у моря*, приписываемая Филиппино Липпи. Среди алтарных образов отметим *Воскресение* **Р. дель Гарбо**.

Гипсотека Бартолини: Экспозиция гипсовых скульптур работы Лоренцо Бартолини, – самого известного преподавателя искусства скульптуры Академии Изящных искусств в XIX веке была открыта в 1985 г.

Зал Джоттески – залы, называемые также «Византийскими», так как здесь выставлены картины живописцев, предшествующих эпохе Джотто. Упомянём прекрасную доску *Дерево Жизни* **П. ди Буонагвида** и 22 декора **Т. Гадди** из церкви Санта Кроче, датируемые примерно 1333 годом.

Залы второго этажа – 4 зала, оборудованные в 1985 г. для размещения картин флорентийских художников XIV и XV веков, среди которых – *Благовещение* и пределла алтаря Св. Троицы **Л. Монако** и *Благовещение*, выполненное в готическом стиле

Маэстро делла Мадонна ди Страусс. В III зале экспонируется коллекция русских икон, принадлежавшая семейству Лорена. На первом этаже размещается Выставка музыкальных инструментов консерватории имени Луиджи Керубини (соседствует с Академией), располагающая редкими экспонатами из коллекций Медичи и Лорена, в том числе – драгоценными скрипками Страдивари.

❼ Музей и Фабрика Твёрдого Камня (улица Альфани, 78)

Музей был основан в 1588 г. по повелению Фердинандо I де Медичи. В 1796 г. был перенесён из Уффици в эти помещения; здесь экспонируются произведения из полудрагоценных камней, скальолы и рисунки на камне, а также хранятся интереснейшие коллекции минералов.

Фабрика Твёрдого Камня представляет собой единственный в своём роде музей, посвящённый одному из важнейших художественных ремёсел Флоренции, исторические корни которого неразрывно связаны с вековой историей города.

Страсть к изделиям из полудрагоценных камней зародилась при дворе Медичи и выразилась, начиная с XV века, в систематическом коллекционировании камей, драгоценных камней и классических ваз, чтобы в последующем веке конкретизироваться

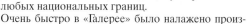

в решении флорентийских правителей создать самую современную мастерскую, способную вернуть к жизни, казалось бы, утерянное античное искусство обработки камня.

В 1588 г. по повелению Фердинандо I была основана «Галерея работ», к организации которой вначале были привлечены многие миланские мастера – специалисты в обработке горного хрусталя; вскоре к ним присоединились некоторые флорентийские художники и другие мастера из стран Северной Европы, дав жизнь таким образом невероятному сплаву разнообразнейших художественных стилей, выходящему за рамки любых национальных границ.

Очень быстро в «Галерее» было налажено производство мозаичных композиций из полудрагоценных камней, разрезанных на части разнообразной формы и затем соединённые с такой тщательностью, что кажутся самыми настоящими «картинами из камня».

Столы, секретеры, шкатулки, шахматные доски, а также настенные картины и церковная утварь (в качестве примера достаточно упомянуть Капеллу Принцев) – результат огромного и чрезвычайно скрупулёзного труда по обработке тонких каменных пластинок различного типа и формы. Натюрморты, пейзажи, портреты, сюжетные сцены, эмблемы и гербы рождались под руками умелых мастеров, комбинировавших цвета и фактуры различных каменных материалов, создавая чарующие световые эффекты. Свой вклад в превращение изделий мастеров-резчиков камня в неповторимые произведения искусства вносили также бронзовых дел мастера, художники по эмали, краснодеревщики, – специалисты по сборке и оформлению готовых работ.

Работы мастеров Галереи в течение веков придавали блеск резиденциям Медичи и служили источником постоянного интереса со стороны всех важнейших европейских дворов, став своего рода *статус-символами*. Изделия Фабрики Твёрдого Камня стали самой настоящей «визитной карточкой» флорентийского стиля в мире, символом власти Медичи, а впоследствии – и Габсбургов-Лорена, правивших с 1737 г. Герцогством.

Производство на Фабрике продолжалось вплоть до конца XIX века, когда деятельность мастерской была переориентирована исключительно на реставрацию произведений искусства. Истории Фабрики и мастеров, работавших в её стенах, посвящён Музей, в котором выставлены, кроме знаменитых мозаик, коллекции редких камней, собранных Великими Герцогами для использования в мастерских, эскизы, модели и разнообразные инструменты для обработки камня – безмолвные свидетели трёх незабываемых веков расцвета искусства работы по камню в этих стенах.

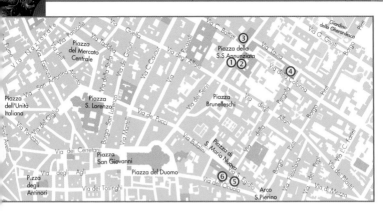

❶ Площадь Сантиссима Аннунциата

Эта площадь уже в XIII веке стала важным центром общественной жизни города; в самом деле, здесь располагалась еженедельная субботняя ярмарка, организовывались праздники, приуроченные к Дню Благовещения Девы Марии 25 марта (соответствующий началу года по флорентийскому календарю) и народный «Рификолона», отмечаемый до сих пор в ночь с 7 по 8 сентября в память о рождении Девы Марии (по вековой традиции, в знак почтения Мадонне нужно входить в церковь, держа в руке посох с зажжённым фонарём). В центре площади расположена *Конная статуя Великого Герцога Фердинандо I* (1608 г.), начатая **Джамболонья** и завершённая **П. Такка** и два фонтана, изображающие морских чудовищ, сидящих спиной друг к другу, работы Такка (1629 г.).

Без сомнения, главной достопримечательностью архитектурного ансамбля является творение Брунеллески, изменившего облик площади во второй половине XV века проектом двух лоджий, обрамляющих церковь: Воспитательного Дома (1419 г.) и с противополож-

ной стороны – Братства служителей Марии, называющейся *Лоджией Сервити*, начатой только в 1516 г. по рисунку А. да Сангалло Старшего и Б. д'Аньоло.

❷ Воспитательный Дом

С правой стороны площади находится здание учреждения, бывшего исключительно важным в прошлом для воспитания сирот, оставленных на «руоте» – крутящемся камне, установленном на противоположном краю портика. Заложенный в 1419 г. и построенный на средства влиятельного Шёлкового Цеха приют был открыт в 1445 г. Архитектор создал точную симметрию всех частей портика, основываясь на том, что осевое расстояние между колоннами равняется их высоте. В 1487 г. в пинаклях между арками были установлены восемь тондо из бело-голубой глазурованной терракоты А. делла Роббия, изображающие запеленатых младенцев. Роспись сводов и люнетов выполнена Б. Поччетти.

Д. Гирландайо,
Поклонение Волхвов
Дворик Обетов

Дворик Людей – Дворик, законченный в 1470 г., служит проходом в пинакотеку. Заслуживают внимания декорации в виде эмблем Шёлкового Цеха (дверь), больницы Санта Мария делла Скала (лестница) и больницы Сан Галло (петух).

Пинакотека – Здесь можно любоваться произведениями знаменитых мастеров, в основном на религиозную тему: *Мадонна с Младенцем и ангел* – работа молодого **С. Боттичелли**, *Мадонна с Младенцем* (1450 г.) – глазурованная терракота **Л. делла Роббиа** и *Мадонна дельи Инноченти* **Ф. Граначчи**.

❸ Базилика – Святилище Сантиссима Аннунциата (Базилика Благовещения Девы Марии)

Основана в 1250 г. братьями ордена Слуг Девы Марии, как маленькая молельня, посвящённая Мадонне и была расширена позднее – между 1444 и 1477 гг., приняв облик, в котором она сохранилась до настоящего времени, с круглой трибуной и куполом, начатым Микелоццо и завершённым Л. Б. Альберти. Под портиками находятся три портала, центральный ведёт во дворик Обе-

тов, – место, в котором вплоть до 1780 г. вывешивались подношения верующих. Нельзя не отметить галерею фресок периода Возрождения: *Рождество Девы Марии* (1514 г.) и *Прибытие Волхвов* (1511 г.) **А. дель Сарто** и *Обручение Девы Марии* **Франчабиджо**, *Посещение Марии Св. Елизаветой* (1516 г.) **Понтормо** и *Вознесение* (1517 г.) **Р. Фиорентино**. Дополняют интерьер двора две бронзовые чаши для святой воды **А. Сузини** 1615 г. и *Сцены из жизни Св. Филиппо Беницци* **А. дель Сарто**.

Интерьер базилики – Характеризуется планировкой с одним нефом и преобладанием стиля барокко во внутреннем убранстве; на потолке, украшенном золочёной резьбой, закреплён холст (*Дева Мария*), написанный **Вольтеррано** между 1664 и 1670 гг. Достойны внимания: в левой части Капелла Пресвятой Девы Марии, оформленная в виде маленького храма, облицованного мрамором, с бронзовой калиткой, покрытой подношениями верующих и своеобразным серебряным алтарём, в котором хранится *Благовещение*, – фреска, почитаемая в первую очередь новобрачными, так как считается приносящей счастье. Другие капеллы, вызывающие интерес: в левом крыле – II и III, украшенные фресками с изображением *Св. Юлиана* (1456 г.) **А. дель Кастаньо**, IV капелла с фреской *Страшного Суда* **А. Аллори**, V капелла, алтарь которой украшен *Вознесением Девы Марии* **П. Перуджино**. В Капелле реликвий, по правую руку, в сторону ризницы, хранятся останки художника Пассиньяно, оформившего это помещение и похороненного здесь в 1638 г. Интересна алтарная часть церкви, построенная по пректу Микелоцци и имеющая форму круглой трибуны с девятью капеллами. Оформление выдержано в стиле барокко; особенно примечательны дароносица и серебряный фасад главного алтаря; под хорами в маленькой капелле хранятся два *ангела* **Эмполи**; в IV капелле находится *Воскресение* **А. Бронзино**. V капелла, называемая также капеллой Мадонны Заступницы, украшена произведениями Джамболонья. В капелле VIII правого крыла примечательны рельефное *Распятие* (ок.

А. дель Кастаньо, *Святая Тринита и Святые Иероним, Паола и Евстахия*

Капелла Святой Девы

А. дель Сарто, *Мадонна с мешком*

1450 г.), приписываемое А. дель Кастаньо и мраморная скульптурная группа *Пьета* **Б. Бандинелли**, запечатлевшего себя самого в фигуре Никодима, и впоследствии похороненного здесь же. Среди многих надгробных памятников отметим *гробницу маркиза Луиджи Темпи* (1849 г.) **У. Камби**, могилу с бюстом **Дж. Страдано** (1605 г.), *надгробный памятник епископа Анджело Марци Медичи* (1546 г.) работы **Ф. да Сангалло**.

ДВОР УСОПШИХ – Вход в дворик расположен в левом трансепте (посещение по разрешению пономаря). Фрески в люнетах, принадлежащие различным художникам, среди которых упомянём Поччетти, объединены сюжетом *Истории слуг Девы Марии*; кисти **А. дель Сарто** принадлежит прекрасная *Мадонна с мешком* (1525 г.), расположенная над входной дверью.

КАПЕЛЛА ОРДЕНА СВЯТОГО ЛУКИ – находится в правой части двора; Орден, существовавший с XIV века, представлял собой кружок итальянских и зарубежных художников, которому Козимо I в 1563 г. пожаловал титул Академии Изобразительного Искусства, и занимал эти помещения вплоть до 1784 г. В притворе примечательно деревянное *Распятие* **А. да Сангалло**, в то время, как внутри аудитории на алтаре установлен *Св. Лука, рисующий Мадонну* работы **Дж. Вазари**; по правую руку – *Троица* **А. Бронзино**, слева – *Мадонна с Младенцем и святыми* **Понтормо**.

❹ **НАЦИОНАЛЬНЫЙ АРХЕОЛОГИЧЕСКИЙ МУЗЕЙ** (улица Колонна, 38) Располагается в *Палаццо Крочетта* – здании, возведенном Дж. Париджи в 1619-1621 по заказу Великая Герцогиня Марии Маддалены Австрийской. Коллекции музея располагают самым богатым в Италии собранием материалов, относящихся к цивилизации этрусков и вторым по важности, после Египетского музея в Турине, собранием раритетов, относящихся к культуре Древнего Египта. В саду Музея были отстроены из оригинальных материалов этрусские могилы, найденные в начале XX века, такие, как усыпальницы-толосы и погребальные камеры.

ЭТРУССКИЙ МУЗЕЙ
Начало коллекции положили Козимо Старший и Лоренцо Великолепный, собиравшие обработанные драгоценные камни, бронзовые статуэтки и монеты этрусской эпохи. Впоследствии собрание постоянно разрасталось благодаря приобретениям и пожертвованиям частных коллекционеров. Первый этаж отведен под АРХЕОЛОГИЧЕСКИЕ НАХОДКИ ЭТРУССКО-ГРЕКО-РОМАНСКОЙ ЭПОХИ; здесь экспонируются многочисленные надгробные скульптуры этрусского периода. Здесь выставлены: *Ваза Франсуа*, аттическая чаша 540-530 гг. до н.э., урна с прахом с изображением *Матер Матута* (460-450 гг. до н.э.) – богини материнства и плодородия, *саркофаг Ларции Сеянти* (II век до н.э.), запечатлённой в момент, когда она поднимает вуаль, смотрясь в зеркало. В залах, отведенных под коллекцию ЭТРУССКОЙ НАДГРОБНОЙ СКУЛЬПТУРЕ, выставлены памятники, найденные во время археологических раскопок под Вольтеррой, Кьюзи и Перуджей. Впечатляет количество экспонатов погребального искусства, среди которых от-

метим мраморный *Саркофаг Амазонок* (IV век до н.э.). Среди других примечательных экспонатов – известный *Идолино* – статуя, изображающая юношу во время жертвенного возлияния, и знаменитая *Химера* (V-IV века до н.э.) – чудовище с тремя головами и туловищем льва, найденная в Ареццо в 1553 г. Интересна также статуя этрусской работы, изображающая *Оратора* (начало I века до н.э.). В этом отделении экспозиции выставлены также коллекция керамики, составленная из греческих и этрусских ваз, расписанных чёрными и красными цветами и коллекция глиптики – собрание камей римской эпохи и Возрождения и драгоценных камней древнегреческих и древнеримских мастеров.

МУЗЕЙ ДРЕВНЕГО ЕГИПТА

Музей был основан между 1824 и 1828 гг. по инициативе Леопольдо II ди Лорена. Собрание музея, с годами пополнившееся, насчитывает в настоящее время более 15.000 экспонатов. Экспозиция организована, следуя временным и топографическим критериям. Представленные экспонаты охватывают все периоды истории Древнего Египта – от доисторического до конца Нового Царства. Среди самых важных памятников египетской культуры упомянём: *Плиту Шери* (2500-2200 гг. до н.э.) и *Гиппопотам* – символ плодородия. В Карнаке была найдена *Голова статуи царицы Тии* – жены Аменофиса III (1403-1365 гг. до н.э.). Среди предметов, принадлежавших к погребальным наборам, упомянём *Деревянную колесницу* из некрополя Таба. К эпохе Нового Царства относится *Рельеф богини Маат*. Особенно богато собрание похоронных папирусов, с главами и сценами из *Книги Мёртвых*. Династии XVIII-XIX представлены *погребальным набором Аменхотепа* и *Жуками-скарабеями сердца*, в то время, как Поздняя Эпоха и династия Птолемеев представлена двумя *Стелами* с записью контракта покупки склепа.

❺ **МУЗЕЙ И ФЛОРЕНТИЙСКИЙ ИНСТИТУТ ИЗУЧЕНИЯ ДОИСТОРИЧЕСКОЙ ЭПОХИ** (улица Сан Эджидио, 21)

Основан в 1946 г.; представленные коллек-

Саркофаг Ларции Сеянти

Химера

Саркофаг Жреца Хонсумес

Дж. Утенс, *Вид на Палаццо Питти*, Музей Истории Флоренции

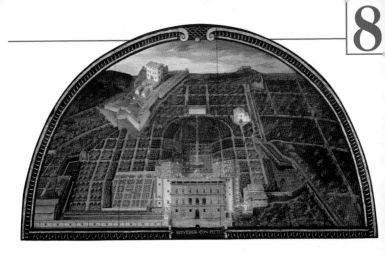

ции охватывают все эпохи – от Каменного века до начала эпохи письменной истории, и являются результатами раскопок в Европе, Африке, Америке и Азии. Здесь можно ознакомиться с инструментами из камня и кости, глиняными изделиями, бронзовым и медным оружием, а также с образцами флоры и фауны доисторического периода.

❻ Музей Истории Флоренции (улица Ориуоло, 24)
Музей был основан в 1908 г., хотя только впоследствии был размещён в помещениях, занимаемых поныне. Здесь хранятся документы, относящиеся к развитию и преобразованиям города в ходе его вековой истории, начиная с первых поселений. Историческая коллекция составлена большей частью из фрагментов каменных кладок, собранных в ходе сноса старинного центра, рисунков, гравюр, фотографий, акварелей. Среди самых известных произведений: копия XIX века *Плана «делла Катена»* (1470 г.) – топографический план, выполненный **С. Буонсиньори**, двенадцать *Видов на виллы Медичи* (1599 г.) – темперы на доске работы **Дж. Утенса**, 24 гравюры с *Видами Города* (1754 г.) и 50 гравюр с *Видами на флорентийские виллы* (1744 г.) **Дж. Дзокки**.

Поблизости находятся также: **Церковь Санта Мария Маддалена деи Пацци** (XIII век) (борго Пинти, 58), входной дворик которой славится фресками Л. Джордано и *Распятием* – фреской работы **Перуджино** (1496 г.); **Синагога** (XIX век) (улица Л. К. Фарини, 4) в византийско-мавританском стиле, с большим куполом из синей бронзы, фресками и венецианскими мозаиками, украшающими интерьер; **Больница Санта Мария Нуова** (площадь Санта Мария Нуова) – самая старинная и до сих пор действующая больница Флоренции; была основана Фолько Портинари – отцом Беатриче, возлюбленной Данте; **Церковь Сант' Эджидио**, в которой находятся остатки *гробницы Фолько Портинари* и **Театр Пергола** (Шпалер) (улица Пергола, 12) – один из самых известных флорентийских драматических театров, основанный в 1718 г.

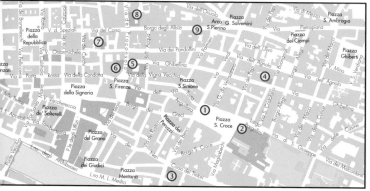

❶ Площадь Санта Кроче

Была создана в средние века, сразу же за пределами второго городского кольца. Имела размеры, достаточные для размещения масс народа, собиравшихся послушать проповеди братьев-францисканцев и по случаю организовывавшихся здесь празднеств, таких, как турниры и футбольные встречи (здесь до сих пор в июне проводятся зрелищные матчи по флорентийскому историческому футболу). Площадь окружают красивые дворцы эпохи Возрождения, такие, как *Палаццо Кокки-Серристори* (№ 1), построенный Дж. да Сангалло и *Палаццо Антелла* с правой стороны, с длинным фасадом, расписанным фресками в 1620 г. такими мастерами, как Пассиньяно и Росселли. Дворец украшен не только фамильным гербом, но и бюстом Козимо I. Немного ниже расположен мраморный диск, установленный в 1565 г. для отметки средней линии футбольного поля.

❷ Базилика Санта Кроче

Считается высшим проявлением флорентийской готической архитектуры. Постройка базилики на месте старой маленькой церкви началась в 1294 г. под руководством А. ди Камбио, но новый храм был освящён только в 1442 г. В 1874 г. Баккани пристроил к церкви колокольню, а в 1863 г. под руководством Н. Матаса (похороненного внутри Базилики) был реконструирован в неоготическом стиле фасад. По бокам фасадной части сохранились до наших времён ориги-

Церковь Санта Кроче:
Главная Капелла

Джотто, *Погребение Св. Франциска*, (фрагмент)

нальная облицовка из твёрдого камня и водостоки в форме львиной и человеческой голов.

На входных ступенях установлена статуя *Данте*, обращённая в сторону площади, работы Э. Пацци (1865 г.).

Интерьер базилики, имеющей планировку в виде египетского креста, делится восьмиугольными пилястрами на три нефа; центральный неф примечателен потолком со стропилами. В трансепте расположены многочисленные фамильные склепы. Базилика всегда считалась престижным местом захоронения известных персонажей своего времени. Начиная осмотр с внутренней стороны фасада, отметим *памятник Джино Каппони* (1884 г.) и *памятник Дж.Б. Никколини* (1883 г.). В правом нефе находится *гробница Микеланджело* (1564 г.) работы **Вазари** и напротив – *Кормящая Мадонна* (1478 г.) работы **А. Росселлино**, затем следуют *Кенотаф Данте Алигьери* (1829 г.) и неоклассический *памятник Витторио Алфьери* (1810 г.) работы **А. Канова**, со статуей *плачущей Италии*. Примечательна превосходная кафедра **Б. да Майано**, украшенная панелями с росписями на тему *Истории Св. Франциска*. За IV алтарём находится *Усыпальница Никколо Макиавелли* (1787 г.) с аллегорической фигурой *Дипломатии*. В V алтаре достойно внимания *Благовещение* (ок. 1433 г.) **Донателло** из серого камня с позолотой. Чуть дальше находится *памятник Леонардо Бруни* (1445-1450 г.) работы **Росселлино**, послуживший образцом для последующих погребальных памятников. Наконец, нельзя пройти мимо памятников *Джоаккино Россини* (1900 г.) и *Уго Фосколо* (1939 г.). Отметим также в VI алтаре *Вступление Христа в Иерусалим* (1604 г.) **Чиголи**.

ПРАВОЕ КРЫЛО ТРАНСЕПТА – Здесь расположены семейные капеллы. КАПЕЛЛА КАСТЕЛЛАНИ – место собраний Полумонашеского ордена, украшена циклом фресок на тему житий Святых **А. Гадди** (1385 г.); капелла БАРОНЧЕЛЛИ расписана **Т. Гадди** с 1332 по 1338 г. *историями Девы Марии*. Известный ученик Джотто является также автором витражей; в то время, как *Полиптих* является работой самого Учителя.

РИЗНИЦА – Через дверь работы Микелоццо можно пройти в поме-

Б. да Майано, *Кафедра с сюжетами Жития Св. Франциска*
Капелла Пацци
Чимабуэ, *Распятие*

щение, построенное семьёй Пацци, в котором хранятся реликвии и ноты хоралов, расписанное фресками **С. Аретино** и Т. Гадди (*Распятие*); отсюда можно пройти в капеллу Ринуччини, расписанную **Дж. да Милано** *Историями Магдалины и Девы Марии* (1363-1366 гг.). Сохранилась также оригинальная решётка 1371 г. В самой глубине находится КАПЕЛЛА МЕДИЧИ работы того же Микелоццо, где на алтаре установлен красивый шар из эмалированной терракоты с *Мадонной с Младенцем* А. делла Роббиа.

По возвращении в церковь стоит посетить также капеллы ПЕРУЦЦИ и БАРДИ, расписанные Джотто между 1320 и 1325 г. циклами фресок, посвящёнными соответственно *Св. Иоанну Крестителю* и *Св. Франциску*, полными прекрасных реалистических деталей. В Главной КАПЕЛЛЕ, имеющей многоугольную форму и оформленной в готическом стиле интересны фрески А. Гадди, давшие имя церкви и посвящённые *Легенде о Святом Кресте*. В ЛЕВОМ КРЫЛЕ ТРАНСЕПТА примечательна КАПЕЛЛА БАРДИ ДИ ВЕРНИО, расписанная **М. ди Банко** (ок. 1340 г.) с *историями Св. Сильвестра*. Вольтеррано принадлежат фрески купола КАПЕЛЛЫ НИКколини (1664 г.); здесь находятся также две картины Аллори и статуи П. Франкавиллы. Семейству Барди принадлежала ещё одна капелла, закрытая решёткой 1335 года, которую украшают деревянное *Распятие* работы Донателло, дароносица и два ангела из позолоченного дерева работы Вазари.

Левый НЕФ – Здесь продолжается серия надгробных памятников: музыканта *Луиджи Керубини*, и за ним – *Льва Баттиста Альберти*. Достоин внимания *день Святой Троицы* работы **Вазари** в VI алтаре и склеп *Карло Марсуппини* – шедевр XV века работы **Д. да Сеттиньяно**. В V алтаре *Пьета* **А. Бронзино** и на полу – надгробная плита *Лоренцо Гиберти*. В IV алтаре *Неверие Св. Фомы* работы Вазари. Во II алтаре – гробница *Галилео Галилея*, украшенная бюстом **Дж. Б. Фоджини**.

МУЗЕЙ СОКРОВИЩ БАЗИЛИКИ САНТА КРОЧЕ
(площадь Санта Кроче, 16)

В Музее, открытом в 1900 г. в бывшей трапезной монастыря, хранятся материалы и предметы, принадлежавшие церкви и монастырю. В садике первого монастырского двора примечательна бронзовая статуя *Воина* **Г. Мура**.

В правой части первого зала находится *Распятие* **Чимабуэ** – доска, написанная после 1272 г. Произведение было серьёзно повреждено во время наводнения 1966 г. В глубине находится большая фреска **Т. Гадди** (1333 г.), представляющее *Древо Жизни, Священную Историю* и *Тайную Вечерю*; на боковых стенах находятся фрагменты фресок **А. Орканьи**, перенесенных из церкви: *Триумф Смерти, Страшный Суд* и *Преисподняя*. По левую руку – бронзовая статуя *Св. Людовика Тулузского* (1424 г.) **Донателло**. Через красивый портал работы Б. да Майано можно пройти во второй двор, облицованный серым камнем. Комплекс зданий Санта Кроче завершается капеллой Пацци. Постройка капеллы была начата Брунеллески между 1429 и 1430 г., но из-за финансовых затруднений заказчика Андреа де Пацци удалось завершить рабты только после 1470 г. Капелла украшена керамическими глазурованными тондо с фигурами *Апостолов* работы **Л. делла Роббиа**.

❸ Палаццо Хорн (улица Бенчи, 6)

Здание было построено в конце XV века архитектором Кронака. Принадлежало семейству Корси, торговцам тканями, а в начале XX века было приобретено английским коллекционером Г. П. Хорном, другом Оскара Уайльда и страстным поклонником флорентийского искусства, с целью воссоздания аристократического жилища эпохи Возрождения.

Музей фонд Хорна

Собрание составлено из разнотипных материалов, относящихся к периоду между XIV и XVI веками: картин, скульптур, майолик, изделий из художественного стекла, монет, документов, манускриптов и печатных книг, экспонирующихся в различных залах. На втором этаже примечательны: тондо *Святое Семейство* кисти **Д. Беккафуми**, *Аллегория музыки* **Д. Досси** и красивейшая доска *Св. Стефана* работы **Джотто**. На третьем этаже Дворца примечательна инкрустированная кушетка в виде трона XV века и в центре зала – ларь для ризницы из дерева, инкрустированного геометрическими мотивами тосканской школы (XV век), на который опирается стол для родов. Замечателен фрагмент ларя XV века работы **Филиппино Липпи**.

❹ Дом Буонарроти (улица Гибеллина, 70)

Музей был открыт для посетителей в 1859 г. в соответствии с завещанием К. Буонарроти, подарившему Флоренции частную фамильную коллекцию, собираемую ещё со времён Микеланджело, проживавшему здесь с 1516 по 1525 гг. В 1965 г. был учреждён фонд «Дом Буонарроти». Здесь же находится богатая библиотека и коллекция из 200 рисунков Микеланджело, – в большинстве своём с автографами, доступ к которой предоставляется учёным-искусствоведам по предварительным заявкам, а также мраморный рельеф *Битва кентавров* (датируется до 1492 г.) и *Мадонна у лестницы* (1492 г.) – мраморный барельеф, созданный с использованием техники сплющенного рельефа.

❺ Палаццо и Национальный Музей Барджелло (улица Проконсоло, 4)

Здание, предназначавшееся под резиденцию Народного Капитана, было заложено в 1255 г. и включило в себя также более раннюю зубчатую башню. Считается первым постоянным представительством гражданских властей. Было закончено через несколько лет, став вначале первой резиденцией Подесты, потом – местом собраний Совета Правосудия. Наконец, с 1574 года здесь обосновался Барджелло – начальник городской полиции. Новые хозяева трансформировали часть помещений в тюремные и пыточные камеры, а также в залы исполнения смертных приговоров (приговорённых к смерти подвешивали на окнах). В 1782 г. была отменена смертная казнь, а в 1857 г. Леопольдо II Тосканский перенёс тюрьму и начал реставрацию здания, завершившуюся в 1865 г. открытием здесь Музея. В настоящее время этот музей, считается одним из самых важных в мире, благодаря своим богатейшим собраниям статуй, коллекциям старинных предметов обихода и оружия. К зданию примыкает церковь, посвящённая *Магдалине*, где в фреске *Рай* был обнаружен *Портрет Данте* работы **Джотто**. В основу собрания положены коллекция произведений Донателло и дары коллекционеров Л. Каррана и Дж. Франкетти. Двор Музея: Окружён с трёх сторон портиком; в центре двора есть колодец, заменивший в ходе реставрации девятнадцатого века эшафот. Сторона двора, где находится лестница Нери ди Фьораванти (1345 г.), украшен эмблемами из камня и глазурованной терракоты. Под портиками установлены великолепные скульптуры таких мастеров, как Амманнати и Джамболонья, а также *пушка*, прозванная «*Св. Павла*», так как казенная часть украшена изображением головы апостола.

В восточной части двора находится вход в зал Треченто (Четырнадцатого Века), где, среди прочих, выставлены скульптуры *Мадонна с Младенцем* **Т. ди Камайно** и *Три послушника* **А. ди Камбио**. Отсюда можно пройти в зал Микеланджело, где находится незаконченное *Тондо Питти* (ок. 1504 г.), – ранняя работа художника, изображающая Мадонну с Младенцем и Св. Иоанном Крестителем, а

Джотто, *Св. Стефан,*
Музей Хорна
*Музей Дом
Буонарроти:*
Микеланджело: *Битва
кентавров;
Мадонна у лестницы*
Двор Барджелло

**⑤**

также *Вакх* (1496-1497 гг.), *Брут* и *Давид Аполлон* (1532 г.). В этом же зале собраны произведения Амманнати, Бандинелли, Челлини (среди работ которого в особенности хорош отлитый из бронзы *Бюст Козимо I*, созданный в 1547 г.); примечателен также *Летящий Меркурий* Джамболоньи. В лоджии второго этажа, украшенной фресками девятнадцатого века, выполненными в средневековом стиле, выставлены работы XVI века, в том числе и серия скульптур животных Джамболоньи. Отсюда можно пройти в следующий зал, называемый Залом Большого Совета или залом **Донателло**. В помещении, отведенном под экспозицию работ флорентийских скульпторов XV века, экспонируются многие работы Донателло, среди которых – *Бюст-портрет полководца Никколо да Уццано* из многоцветной терракоты, *Мардзокко* – лев-символ города, изящный *Атис-Амур*, – крылатый бронзовый купидон, топчущий змею. Следуют самые известные произведения художника: бронзовый *Давид* (1440-1450 г.) и *Св. Георгий*, перенесенный из Орсанмикеле, – статуя, заказанная Цехом Оружейных мастеров в 1416 г. **Д. да Сеттиньяно** принадлежит *Св. Иоанн Креститель*; здесь же хранятся два медальона, выполненных для участия в конкурсе на оформление дверей Баптистерия на сюжет *Жертвоприношения Исаака* – один работы Гиберти и второй, принадлежащий Брунеллески. Дополняют экспозицию работы Микелоццо и Л. делла Роббиа. В Исламском зале выставлены изделия из металла и слоновой кости, майолики, драгоценности, оружие и ковры арабской работы IX-XV веков.

В зале Карран хранятся предметы (около 3000 экспонатов) из собрания французского коллекционера. Достойна упоминания пластина шлема Агилульфа (VI-VII века). Последующие залы посвящены Андреа и Джованни делла Роббиа и коллекции бронзовых фигур, среди которых выделяется бронзовая статуя *Геркулеса, борющегося с Антеем* **А. Поллайоло** и *Ганимед* **Челлини.** Стоит задержаться в зале Андреа дель Верроккио, чтобы полюбоваться прекрасным *Давидом* (ок. 1465 г.), – бронзовой статуей, выполненной по заказу Медичи, а также изящной мраморной *Дамой с цветами* и терракотовым *Бюстом Пьеро ди Лоренцо де Медичи*. В этом же зале присутствуют работы

других авторов, таких, как М. да Фиезоле и А. Росселлино. В последнем зале – Оружейной комнате – выставлены образцы оружия семьи Медичи, а также экспонаты различных эпох, поступившие из частных коллекций.

❻ Бадия Флорентийская (улица Проконсоло)
Религиозный комплекс, основанный в 978 г. для монахов-бенедиктинцев госпожой Вилла, матерью маркиза Уго Тосканского, здесь впоследствии и похороненного. Был расширен и перестроен в готическом цистерцианском стиле в XIV веке; в 1330 г. была возведена колокольня. Аббатство было вновь реконструировано в XVII веке, с полной заменой внутренней отделки; был также создан новый вход с улицы Данте Алигьери. Интерьер церкви, с планировкой в виде греческого креста, выдержан в стиле барокко; отметим *Явление Мадонны Св. Варнаве* **Филиппино Липпи** на левой стене и *Гробницу маркиза Уго Тосканского*, выполненную **М. да Фьезоле** из мрамора и порфира, в левом крыле крестовины. Через дверь в левой части клироса можно пройти в монастырский дворик апельсинов, построенный Б. Росселлино (1432-1438 гг.) и состоящий из двух этажей, украшенных ионическими колоннами; верхний этаж расписан фресками с сюжетами из Жития Св. Бенедикта.

❼ Дом-музей Данте (улица Санта Маргерита, 1)
Музей расположен неподалёку от места, где появился на свет великий поэт (в настоящее время там расположен известный ресторан). Здание, построенное в XX веке, выдержано в средневековом стиле. В залах музея экспонируется богатый документальный материал – графика и фотографии, воссоздающие облик Флоренции времён Данте и разные издания *Божественной Комедии*.

❽ Палаццо "нон финито" (незаконченный) (улица Проконсоло, 12)
Дворец, облицованный рустом, был возведен в 1593 году по заказу А. Строцци архитектором Буонталенти, украсившим его фигурами летучих мышей и раковин. Вто-

Микеланджело:
Вакх;
Брут;
Тондо Питти
Дж. Вазари, Рыбная Лоджия

рой этаж и сторона здания, выходящая на двор, остались незавершёнными; в 1604 г. Чиголи частично завершил постройку, обустроив двор Дворца.

В наши дни во дворце размещается **Национальный Музей Антропологии и Этнографии.**

Музей был основан в 1869 г. по инициативе П. Мантегацца. Экспозиция сформирована за счёт частных коллекций Медичи, а также из материалов, переданных экспедициями исследователей и мореплавателей, – таких, как Т. Кук (1779 г.) и частными коллекционерами, такими, как П. Грациози, подарившим Музею свою коллекцию в 1960 г.

Экспонаты систематизированы и размещены в более, чем 25 залах Музея, будучи разделёнными по континентам, и позволяют совершить самое настоящее кругосветное путешествие. Любопытны трофеи «охотников за головами» острова Борнео.

❾ Борго Альбици

Любопытна типично средневековая улица, что заметно в размерах и конструкции мостовой, на которую выходят многие здания XVI века, среди которых: под № 26 *Палаццо Рамирец ди Монтальво,* выделяющийся декорацией фасада, выполненной по эскизу Вазари, и под № 18 – *Палаццо Альтовити,* называемый также «Визаччи» или «Дворец с рожами», благодаря украшающим его пятнадцати мраморным бюстам, изображающим знаменитых флорентийцев.

Далее по этому маршруту следует обратить внимание на Палаццо и Церковь Св. Флоренции (площадь Св. Флоренции), выполненные в стиле барокко (1645 г.), **Лоджию Зерна** (пересечение улиц Нери и Кастеллани) 1619 г., предназначавшуюся для зернового рынка и украшенную мраморным фонтаном в углу и бюстом Козимо II в центральной арке, и **Рыбную Лоджию** (площадь Чомпи), возведенную на месте, где началось известное народное восстание Чомпи (1378 г.). Построенная в 1567 г. Вазари, предназначалась для Старого Рынка; украшена тондо из цветной терракоты с изображениями морских обитателей и гербов Великого Герцогства. Поблизости собирается также «Блошиный рынок», где идёт торговля в основном антиквариатом.

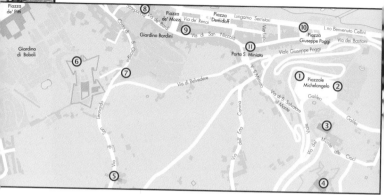

❶ Площадь Микеланджело

Проходя по виале деи Колли, задуманному Поджи, как панорамная дорога и жилой квартал для зажиточных слоёв флорентийского общества, попадаем на площадь, с которой открывается прекрасный вид города (*смотровая площадка).

Здесь установлен памятник Микеланджело (1871 г.), – копия знаменитого *Давида*, окружённого статуями, являющимися копиями оригиналов статуй, украшающих склепы Медичи захоронений Сан Лоренцо. По проекту Поджи построена также лоджия-кафе, возведённая с другой стороны площади, предназначавшаяся, по изначальному проекту, для размещения оригиналов произведений Микеланджело.

❷ Сад Ириса (угол бульвара деи Колли и площади Микеланджело) Основан в 1955 г. и открыт для посетителей только в мае, когда расцветают около 2500 видов ириса – символа Флоренции с 1251 г. Ежегодно Итальянское общество Ириса объявляет международный

❶

 ④

конкурс, с целью наградить садовода, сумевшего вырастить алый цветок – в точности такой, как изображён на гербе города. До сих пор никто не сумел приблизиться к требуемому оттенку.

❸ Церковь Сан Сальваторе аль Монте

По лестнице, расположенной за лоджией-кафе, можно подняться к церкви. Фронтон скромного фасада здания, возведенного Кронака на холме Монте алле Крочи в 1504 г., украшен гербом Гильдии Суконщиков Калимала, финансировшей постройку. Интерьер церкви, характеризующийся планировкой с одним нефом и боковыми капеллами, был впоследствии реконструирован. Примечательна сцена «Снятие с креста», изготовленная Дж. делла Роббиа из глазурованной терракоты, находящаяся в левом трансепте.

❹ Церковь Сан Миниато аль Монте (*смотровая площадка)

Церковь возведена на месте древних христианских поселений, где впоследствии в XI веке было построено здание в романском стиле в честь Св. Миниато, преданного здесь мученической смерти в IV веке. Служившая вначале базиликой бенедиктинцев клюнийского аббатства, церковь была впоследствии передана Оливетинцам. Колокольня была отстроена Б. д'Аньоло в 1524 г., но стала знаменитой во время осады Флоренции 1530 года, когда Микеланджело использовал её для установки пушек, бомбардировавших императорские войска. В 1552 г. здание было превращено в крепость, от которой до нашего времени сохранились входные ворота: *Медичи и дель Соккорсо*. В 1868 г. по проекту Поджи была построена лестница, ведущая от церкви к виале деи Колли.

Фасад – Примечателен контрастными геометрическими фигурами из белого и зелёного мрамора в два ряда; верхний уровень, поднимающийся в зоне центрального нефа, украшен окном с тимпаном, облицованным мозаикой XII века, изображающим *Христа на троне с Девой Марией и Св. Миниато*. На шпиле установлен герб из позолоченной меди, изображающий орла – символ Цеха Калимала, покровительствовавшего церкви (1401 г.).

Интерьер церкви, расположенный на трёх уровнях (крипта, основной уровень и клирос на возвышении), разделён колоннами на 3 нефа. Триумфальная арка и полукруглая абсида сохраняют оригинальную отделку, в то время, как роспись стен датируется XIX веком. В глубине центрального нефа, устланного полом с мраморными инкрустациями (1207 г.), находится КАПЕЛЛА РАСПЯТИЯ, построенная **Микелоццо** по заказу Пьеро де Медичи (1448 г.) и украшенная картинами **А. Гадди** и кессонами делла Роббиа из глазурованной терракоты, установленными на бочарном своде.

Через клирос можно пройти в ризницу квадратной формы, потолок и люнеты которой расписаны **С. Аретино** сюжетами на тему *Жития Св. Бенедикта*. В клиросе, по правую руку от алтаря установлена остроконечная доска с Эпизодами из Жития Св. Миниато (1320 г.) **Я. дель Казентино**; высокая ограда с отделкой из мрамора, хоры с сиденьями, украшенными резьбой со стилизованными изображениями растений, кафедра и Главный Алтарь с *Распятием* из глазурованной терракоты приписываются Л. делла Роббиа.

Крипта (XII век) является самой старинной частью церкви; крестовые своды, опирающиеся на 36 небольших колонн из различных материалов (мрамор, серый камень и обожжённый кирпич), позолоченных в 1342 г, расписаны фресками на золотом фоне кисти Т. Гадди.

Мастер мозаики XIII века, *Христос на троне с Мадонной и Св. Миниато* (фрагмент)

Капелла Кардинала Португалии

Капелла Распятия

Флорентийские мастера, *Кафедра*

КАПЕЛЛА КАРДИНАЛА ПОРТУГАЛИИ – Вход в капеллу, построенную Манетти в 1466 г., находится в левом нефе; центральная часть свода украшена четырьмя медальонами из глазурованной терракоты работы Л. делла Роббиа на тему *Основных добродетелей.* Мраморный надгробный памятник был выполнен братьями А. и Б. Росселлино; стены расписаны фресками, среди которых отметим *Благовещение* (1466 г.) **А. Бальдовинетти.** К церкви примыкает МЕМОРИАЛЬНОЕ КЛАДБИЩЕ, называемое также «делле порте санте», созданное в 1865 г. для захоронения представителей самых известных семейств города. Здесь, среди прочих, находится могила К. Лоренцини (более известный под псевдонимом Коллоди).

❺ УЛИЦА САН ЛЕОНАРДО

Живописная улица, ведущая в Форт Бельведере. Многие деятели искусства проживали в домах, выходящих на эту улицу, в том числе композитор Чайковский и художник О. Розай. Здесь же находится церковь Сан Леонардо – старинная приходская церковь XI или XII века, отреставрированная в 1929 г., примечательная мраморной кафедрой XIII века, перенесенной сюда из церкви Сан Пьеро а Скераджо и упоминавшейся в произведениях Данте и Боккаччо.

❻ ФОРТ БЕЛЬВЕДЕРЕ ИЛИ СВЯТОГО ГЕОРГИЯ (открыт во время выставок)

Был заложен в 1590 г. при Фердинандо I по проекту Буонталенти для защиты от нападений на городские стены, сохранившиеся ещё поблизости от форта. Возвышается над прилегающим к нему Садом Боболи. Вдоль всего пути стражников по стенам форта открывается захватывающий вид на город (*смотровая площадка).
В центре форта находится Палаццина Бельведере (1570 г.), - строение, проект которого приписывается Амманнати.

❼ КОСТА САН ДЖОРДЖО

Пройдя через одноименные ворота, являющиеся частью второго кольца городских стен, мы оказываемся в начале крутого спуска

– одного из самых интересных городских маршрутов, включающего также спуск Скарпучча и доходящего до улицы Барди. Дом под № 17 принадлежал семье Га́лилея; его фасад украшен фамильными эмблемами и бюстом математика.

❽ Улица Барди

В своё время назывался «борго Питильозо», так как считалось, что здесь жил подлый народ, и делится на две части. Первая – более современная – ведёт в сторону Понте Веккио, а другая – в сторону Сан Никколо, окружённая красивыми зданиями XIV века, принадлежавшими семьям самых преуспевающих торговцев эпохи, - таких, как *Палаццо Каппони* (№ 36-38), построенный для банкира Никколо да Уццано. Череда зданий прерывается земляным валом, поддерживающим спуск Скарпучча, и насыпанным в 1547 г. по повелению Козимо I после катастрофического оползня, разрушившего многие жилые дома. В память об этом трагическом эпизоде здесь установлена мемориальная плита. Как раз напротив стены расположена Церковь Санта Лучия де Маньоли или «погубленных», построенная в 1078 г. и впоследствии много раз реконструировавшаяся. Внутри церкви достойна внимания *Мадонна на троне и святые* флорентийской школы XVI века, установленная на главном алтаре. Находящаяся снаружи часовенка напоминает о том, что здесь побывал также Св. Франциск.

❾ Музей Бардини (площадь Моцци, 1)

Музей, находящийся в настоящее время в фазе реконструкции, был открыт в 1881 г. в одном их трёх домов, принадлежавших Бардини – семье богатых коммерсантов, сыгравшей заметную роль в культурной жизни Флоренции конца XIX века благодаря личности Стефано – коллекционера и антиквара. Бардини в 1922 г. оставил муниципалитету Флоренции всё своё собрание, состоящее из произведений различных эпох и стилей. Весьма любопытна и сама архитектура здания Музея, включающая элементы отделки, относящиеся к разным эпохам. Среди предметов, хранящихся здесь, упомянём:

алтарь-жертвенник, посвящённый Августу и изображающий Диониса; был использован впоследствии как парапет колодца; капитель с *Рождением Христа* XII века; мраморная скульптурная группа *Милосердие* работы **Т. да Камайно**. Достойны внимания камины и римская ванна из порфира, а также персидские ковры и залы, в которых выставлены образцы оружия. Интересны изделия из терракоты, среди которых выделяются *Мадонна с Младенцем*, приписываемая Донателло, и *Мадонна канатчиков* того же автора. В здании музея была размещена и Галерея Корси, подаренная Муниципалитету Флоренции в 1937 г. и состоящая из приблизительно 600 работ художников с XII по XIX века. Поблизости от Музея находится Сад Бардини (улица Барди 1р), приобретённый в 1913 г. антикваром Бардини и представляющий собой типичный пример парка итальянского типа, с террассой, откуда открывается вид на город (*смотровая площадка).

❿ Ворота Сан Никколо (улица Дж. Поджи)

Комплекс, созданный в 1866 г. архитектором, в честь которого названа улица, включает в себя старинные ворота с зубцами Сан Никколо, построенные в 1324 г. в качестве бастиона с прилегающими стенами, защищающими эту часть города. Эти ворота остались единственными, сохранившими свою оригинальную форму, характеризующуюся тремя накладывающимися одна на другую большими арками, с ходами сообщения и лестницами. В проезде привлекает внимание фреска *Мадонна и святые* XV века, находящаяся в точке, откуда начинается подъём к площади Микеланджело по двум лестницам, построенным Поджи, мимо гротов и фонтанов.

⓫ Ворота Сан Миниато

Эти ворота четырнадцатого века, оборудованные ходом сообщения поверх стен, опирающимся на висячие арки, находятся на пути, ведущем к церкви Сан Миниато аль Монте вдоль улицы Монте алле Крочи (прозванной так благодаря Виа Кручис, построенной здесь монахами-францисканцами).

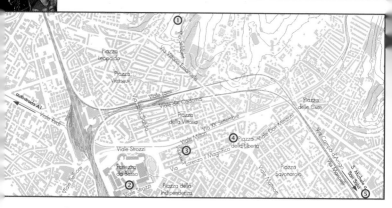

❶ Музей Стибберт (улица Федерико Стибберт, 26)

Музей, расположенный на вилле, утонувшей в зелени парка, располагает одной из самых богатых частных коллекций старинного оружия и костюмов. Владельцем коллекции был Фредерик (или Федерико) Стибберт (1838-1906 гг.) – англичанин по отцу и итальянец по материнской линии, родившийся и проведший свою жизнь во Флоренции. Федерико, унаследовавший крупное состояние, отличался разносторонними интересами, был художником – членом Флорентийской Академии Изящных Искусств, деловым человеком и писателем. Будучи неутомимым путешественником, он сумел собрать коллекцию из более, чем 50.000 экспонатов, относящихся к эпохе с конца XVI века до Первой Империи; собиратель оставил свою коллекцию британскому правительству, которое, в свою очередь, передало его Флоренции. В 1908 г. был основан Фонд его имени. Стибберт перестроил и расширил свой дом, чтобы организовать экспозицию накопленных сокровищ и предоставить доступ к ней широкой публике. В настоящее время музей занимает более 60 залов, в том числе и семейные апартаменты. Коллекционер задался

целью воссоздать антураж, гармонирующий с духом представленных коллекций. Из-за необозримого богатства экспонатов, составляющих коллекцию, остановимся только на самых интересных, отметив, тем не менее, что организация экспозиции подвергается периодическим изменениям.

Залы Востока (6-8) – Здесь представлено турецкое и персидское оружие и доспехи, одеяния *турков-османов* XV-XIX веков и красивейшие образцы *индийского оружия и доспехов* XVI-XVIII веков.

Зал Кавалькады (9) – *Кортеж итальянских и немецких всадников* (XVI-XVII века) и Османской кавалерии (XVI век); в станцино (11) примечательны немецкие нагрудные латы, бывшие на Джованни делле Банде Нере в момент погребения. В Проходе (17) следует обратить внимание на саблю Иоахима Мюрата, в то время, как в Воинском зале (18) находится *знамя* II полка тяжёлой пехоты Итальянского Королевства.

Второй этаж: Залы Костюмов (38-41) – Коллекция костюмов, считающаяся одной из самых полных и богатых в Европе, может гордиться некоторыми редчайшими экспонатами. Примечательны мужские и женские одеяния, ливреи и аксессуары XVI-XVIII веков. Комната Фредерика Стибберта (48), полная семейных реликвий и фамильных портретов, сохраняется до сих пор в своём оригинальном виде. В комнате Империи (49), принадлежавшей матери Джулии, достойно внимания *парадное платье* одной из

Японские залы,

Нагрудные латы Джованни делле Банде Нере

Стол с малахитовой столешницей

Парадный итальянский костюм Наполеона Бонапарта

А. дель Сарто, *Тайная Вечеря*, Музей Тайной Вечери А. дель Сарто

придворных дам Элизы Бачокки, в то время, как в смежной МАЛЕНЬКОЙ ЛОДЖИИ ИМПЕРИИ (50) выставлен *Итальянский костюм* Наполеона Бонапарта, одетый им в 1805 г. во время церемонии принятия им титула короля Италии.

ЯПОНСКИЕ ЗАЛЫ (55-58) – Великолепна *группа самураев*, а также японское и китайское оружие, шлемы, костюмы. Внушительна также коллекция картин, среди которых выделяются работы Ю. Суттерманса, Бронзино, А. Аллори, Дж.Б. Тьеполо и Л. Джордано, и таких предметов ежедневного обихода, как часы, расчёски, столовые приборы, веера, трости и зонтики.

Вилла окружена великолепным романтичным парком в английском стиле, приведенным в порядок Поджи. Здесь можно найти даже небольшой пруд с маленьким храмом в египетском стиле, обелиском, ещё одним храмом в греческом стиле, а также оранжерею с редкими экзотическими растениями.

❷ Крепость Сан Джованни или Фортецца да Бассо

Эта постройка ярко выраженного военного назначения была начата в 1534 г. по проекту А. да Сангалло Младшего по заказу Алессандро де Медичи с целью противостояния не так внешним врагам, как внутренним восстаниям. Имеет форму пятиугольника с бастионами и занимает обширную территорию, где в настоящее время организуются многочисленные выставки. Примечательны сторожевая башня, облицованная рустом из твёрдого камня, и восьмиугольное караульное помещение.

❸ Русская Православная Церковь (Улица Льва X, 8)

Постройка церкви оказалась возможной в первую очередь благодаря финансовой поддержке русских князей Демидовых; была возведена в начале XX века по проекту архитектора М. Преображенского и освящена 8 ноября 1903 г. Имеет в основании квадратную форму и облицована серым камнем, с основанием из твёрдого камня и куполами в русском стиле, украшенными цветными керамическим пластинами и увенчанными бронзовыми крестами. Интерьер церкви

украшен лепкой, барельефами, иконами и картинами работы Дж. Лолли. Царь Николай II подарил храму иконостас из каррарского мрамора, до сих пор украшающий верхнюю церковь.

❹ Площадь Свободы

Была реконструирована в конце XIX века в стиле флорентийского Возрождения по проекту Поджи. В центре площади находятся ворота Сан Галло (1285 г.) с часовенками, украшенными фигурами львов (начало XIV века) и фреской XVI века *Мадонна с Младенцем и святые* в люнете. С северной стороны расположена *Триумфальная Арка Франческо Стефано ди Лорена*, возведённая по случаю его приезда в город в 1739 г. и увенчанная *конной статуей Франческо Стефано* работы **Дж. Б. Фоджини**.

❺ Архитектурный ансамбль Сан Микеле а Сан Сальви (улица Сан Сальви 16)

Религиозный комплекс, состоящий из монастыря Сан Сальви и церкви Сан Микеле а Сан Сальви, существовал уже в 1048 г. В 1981 г. в бывшей трапезной Монастыря был размещён Музей Тайной Вечери Андреа дель Сарто. Художник расписал стены зала фресками в 1527 г. и, как повествует легенда, войска Карла V сохранили в неприкосновенности работу мастера благодаря её неимоверной красоте. В Музее хранятся и другие работы художника, - такие, как *Благовещение* (ок. 1509 г.) и *Пьета* (ок. 1520 г.); здесь же выставлены картины Р. дель Гарбо, Понтормо и Вазари.

Отметим также, что поблизости расположен Государственный Архив (виале Джоване Италия, 6) – одно из самых богатых европейских собраний документальных материалов; в нём проводятся также временные выставки, а также Английское или Протестантское кладбище (площадь Донателло), созданное в 1828 г. для нужд многочисленной английской и протестантской общины. Среди известных деятелей искусства, похороненных здесь, упомянём поэтессу Э.Б. Браунинг и Дж.П. Вьессо.

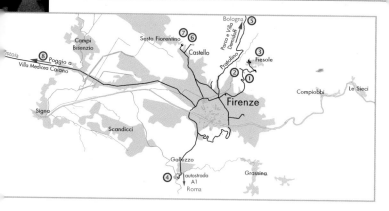

❶ По дороге во Фьезоле. Монастырь Сан Доменико (площадь Сан Доменико)

Поднимаясь по улице Сан Доменико, ведущей в Фьезоле, нельзя не задержаться у этой церкви, основанной в 1406 г. монахом-доминиканцем Фра Джованни Баччини. В стенах монастыря жили, среди прочих, Св. Антонино, епископ Флоренции, и Б. Анджелико, бывший настоятелем обители. Перед входом находится элегантный портик, построенный в 1635 г. Ниджетти – автором также церковной колокольни. Интерьер церкви имеет планировку с одним нефом и шестью капеллами XV-XVI веков и богат прекрасными произведениями живописи, среди которых выделяется триптих *Мадонна с Младенцем, Молящиеся Ангелы* и *Святые Варнава, Доминик, Фома Аквинский и Пётр мученик* кисти **Анджелико**, подправленный Л. да Креди в 1501 г. (пейзаж и постройки на заднем плане).

❷ Бадия Фьезолана (улица Бадия деи Роччеттини)

Здание эпохи раннего средневековья, построенное на месте, где по преданию принял смерть Св. Ромоло, до 1028 г. служило кафедральным собором Фьезоле и епископским домом. В 1456 г. Козимо Старший распорядился отвести в стенах аббатства помещение под библиотеку, ставшей местом встреч флорентийских гуманистов. Неотделанный фасад Церкви, оставшийся незаконченным, включает в себя часть, принадлежавшую старинной романской церкви XII века из белого и зелёного мрамора. Интерьер церкви, характеризующийся планировкой с одним нефом и боковыми капеллами, относится к концу XV века, в то время, как алтари украшены холстами XVII-XVIII веков.

❸ Фьезоле

Город расположен на холме, разделяющем долины Арно и Муньоне. Представлял собой важный центр этрусков (конец VI-V века до н. э.), древнеримской (в 80 г. до н.э. упоминается как римская колония под именем Faesulae, и приобрёл статус города в I веке до н.э.) и, наконец, средневековой культуры. Пришёл в полный упадок во времена господства лонгобардов, пока, наконец, в 1125 г. не был завоёван Флоренцией. С тех

пор стал любимым местом времяпрепровождения Медичи, а с XVIII века стал излюбленным местом иностранцев, посещавших Флоренцию, строивших или снимавших здесь многочисленные и красивейшие виллы (упомянём У. Спенса, приютившего на *вилле Медичи* общину английских художников-прерафаэлистов и художника А. Беклина, проживавшего в конце XIX века на вилле Белладжо).

Площадь Мино да Фьезоле (*смотровая площадка*).

На этой площади находился древний римский Форум, по левую руку высится грандиозная *Семинария* (1637 г.), к которой прилегает *Палаццо Претолино – Епископский дворец* (построенный в XI веке, с фасадом, переделанным в 1675 г.), в то время, как с северной стороны находится громадный Кафедральный Собор; с восточной стороны на площадь выходит Преторианский Дворец, в настоящее время занимаемый городским Муниципалитетом, с характерным арочными портиком, над которым проходит Лоджия, в стену которой вмурованы гербы городских старост (1520-1808 гг.); поблизости расположена также Церковь Санта Мария Примерана, упоминавшаяся уже в 966 г., но реконструированная в конце XVI века в маньеристском стиле с росписями, исполненными в технике граффити; в 1801 г. к церкви был пристроен портик.

Кафедральный собор Сан Ромоло

Церковь была основана в XI веке, расширена в XIII и, наконец, в XIX веке была подверг-

Фьезоле:
Кафедральный собор Сан Ромоло
на следующих страницах:
Римский театр
Церковь Сан Франческо

нута радикальной реконструкции. Церковная колокольня XIII века имеет форму башни с «короной» крепостных зубцов в верхней части. Внутренняя планировка церкви характеризуется тремя нефами, поддерживаемыми каменными колоннами и абсидой, приподнятой, чтобы оставить пространство для расположенной под ней крипты. Здесь хранятся многие важные скульптурные произведения, среди которых отметим статую *Св. Ромоло* (1521 г.) из цветной терракоты Дж. делла Роббиа, установленную с внутренней стороны фасадной стены; в алтарной части, по правую руку, находится капелла Салютати, украшенная фресками К. Росселли; у стены *Гробница епископа Леонардо Салютати* работы **М. да Фьезоле**. Главный алтарь украшен полиптихом *Мадонна на троне с Младенцем и святыми* работы художника XV века **Б. ди Лоренцо**. В Ризнице, оформленной в XVIII века, хранятся старинные предметы церковного обихода. В правой части крипты XIII века находится гранитная *Купель* (1569 г.) работы **Ф. дель Тадда**.

Музей Бандини (улица Дж. Дюпре 1, в настоящее время в фазе реконструкции)
В Музее, открытом для посетителей с 1913 г., хранится коллекция священника Анджело Мария Бальдини, завещанная впоследствии епископу и капитулу Фьезоле в 1803 г. Собрание составлено главным образом из картин и скульптур флорентийской школы с XIII по XV век, но включает также некоторые образцы ремесленного искусства, и скульптуры последующих эпох, среди которых преобладают работы мастерской делла Роббиа. Среди авторов, представленных в экспозиции, упомянём Т. Гадди, Б. Дадди, Н. и Я. ди Чионе, а также Я. дель Селлайо и Л. Монако.

Археологическая зона (улица Марини, 1) (*смотровая площадка)
В этой зоне находится театр, до сих пор действующий в летний сезон, построенный в эпоху императора Августа, рассчитанный на 3000 зрителей и имеющий 34 метра в диаметре. Театр построен на склоне холма и разделён тремя лестницами на 4 сектора. Напротив зрительского амфитеатра находятся оркестровая яма и сценические подмостки, опирающиеся на небольшую стенку. Сбоку от сцены

видна ниша, где находилась лебёдка для подъёма занавеса. Термы, также построенные при императоре Августе, расположены неподалёку от театра и окружены колоссальными стенами этрусской эпохи. Древнеримский храм, отстроенный после пожара в I веке до н.э., примечателен тимпаном, украшенным терракотовыми фигурами и лестницей из семи ступеней. Ещё заметны остатки пяти колонн, поддерживающих в своё время портик. Этрусский храм был построен в III веке до н.э. в честь Бога Врачевания. От него дошли до наших дней лестница и остатки терракотовой отделки крыши (хранятся в настоящее время в Городском Музее).

Городской Музей – В Музее, основанном в 1873 г., хранятся материалы этрусской, римской эпох и периода раннего средневековья (в особенности - эпохи правления лонгобардов), обнаруженные в ходе раскопок в зоне Фьезоле или пожертвованные частными коллекционерами. Среди самых интересных экспонатов упомянём погребальные урны и принадлежности, найденные в этрусских захоронениях (III-II века до н.э.), найденные в археологической зоне на близлежащей улице Барджеллино, бронзовые статуэтки людей и животных, стеклянные чаши для вина эпохи лонгобардов и керамические изделия. Интересна также стела из серого камня, расписанная сценами пира, танцев и охоты, относящаяся к первой половине V века до н.э. В Антиквариуме Костантини (улица Портиджани, 9) с 1985 г. выставлена коллекция А. Костантини, переданная в дар Муниципалитету Фьезоле и содержащая более 170 керамических изделий работы древнегреческих и этрусских мастеров.

Фонд Примо Конти (улица Дж. Дюпре, 18)
На Вилле Косте XVI века хранятся архив и коллекция произведений художника П. Конти, умершего в 1988 г. и здесь же похороненного в капелле, находящейся в саду и украшенной холстами конца XVII века.

Холм Сан Франческо (улица Сан Франческо)
Преодолев крутой подъём, посетитель оказывается в *Парке делла Римембранца* (Парке Воспоминаний), откуда окрывается захваты-

вающая дух панорама Флоренции (*смотровая площадка). Чуть дальше находится холм, бывший в своё время этрусско-романским акрополем; впоследствии здесь был построен религиозный комплекс, включающий базилику Сант' Алессандро, Церковь Сан Франческо и Церковь Санта Чечилия.

Наиболее интересной представляется Церковь Сан Франческо. Была построена в начале XIV века для флорентийских отшельников, но в конце столетия была передана монахам-францисканцам. Здание было отреставрировано в начале XX века, но при этом остались нетронутыми фасад и часть левой стены, относящиеся к XV веку. Внутри церкви, характеризующейся планировкой с одним нефом, хранятся такие произведения, как *Благовещение* Р. дель Гарбо, расположенное в левой части алтаря, и *Презепио* (Рождественские ясли) из терракоты мастерской делла Роббиа в капелле Св. Антония. Через монастырский дворик XV века, примыкающего к ризнице, можно пройти в Этнографический Миссионерский Музей, в котором хранятся произведения китайских и этрусских мастеров, а также египетская мумия.

❹ Чертоза Галлуццо (вход Бука ди Чертоза,2)
На улице Сенезе возвышается Чертоза (Картезианский монастырь), господствующая, с высоты холма Акуто (110 м) над долиной Валь д'Эльма. Монастырь, основанный в 1342 г. по повелению Н. Аччайоли, впоследствии расширился и обогатился благодаря сокровищам, завещанным многими флорентийскими благородными семьями. В 1810 г., когда монастырь был упразднён французскими властями, он располагал богатой библиотекой, к сожалению, утерянной, и более, чем 500 произведениями искусства. Среди работ, сохранившихся по сегодняшний день и экспонирующихся в Пинакотеке, упомянём пять больших люнетов со *Сценами Страстей Христовых* (1525 г.) **Понтормо**. Входят в религиозный комплекс также Церковь Сан Лоренцо и Монашеская Церковь, обе построенные в XIV веке, украшенные произведениями флорентийских и тосканских художников XVI и XVII веков. Отметим во второй церкви красивейшие кресла из инкрустированного орехового дерева (конец XVI века).
Большой монастырский двор – Построен в начале XVI века в стиле Возрождения. В пинаклях арок установлены 66 бюстов из глазурованной терракоты работы художников мастерской Дж. делла Роббиа (апостолы, святые и персонажи Ветхого Завета). С трёх сторон двор окружён монашескими кельями, каждая из которых имела свой огород.

❺ Парк и вилла Демидовых-Пратолино (улица Болоньезе, открыт в определённые периоды года)
Следуя по государственной дороге 65, ведущей в Болонью, можно добраться до этого огромного парка, являющегося в настоящее время собственностью Провинции Флоренции. Земельный участок был приобретён в 1568 г. Франческо I де Медичи, который доверил Буонталенти проект виллы с парком, украшенным гротами, фонтанами и статуями. В последующие годы парк стал одним из самых известных центров культурной жизни города, а в 1683 г. был выбран для организации концертов Скарлатти и Гёнделя. В 1824 г. Лорена повелели снести виллу, но пощадили обширный сад, её окружавший.

Уже в эпоху правления Савойя земля была продана Демидовым, построившим новую виллу. Одно из самых известных творений, дошедших до наших дней – это *Аппеннинский* фонтан (1589 г.) работы **Джамболонья**, примечательный своими гротами и игрой водных струй. Позади фонтана расположен каменный дракон работы Дж. Б. Фоджини. Из других примечательных конструкций отметим *грот Купидона* (1577 г.) и капеллу Буонталенти с небольшим центральным куполом и внешним портиком, где расположены надгробные плиты Демидовых.

Нельзя не упомянуть также другие виллы Медичи, находящиеся в окрестностях города: ❻ **Вилла Петрайа** (улица делла Петрайа, 40) и ❼ **Вилла ди Кастелло** (улица ди Кастелло, 47) - обе были построены в эпоху средневековья и приобретены Медичи в XVI веке; окружающие их чудесные трёхуровневые сады в итальянском стиле, оформленные Триболо, считаются одними из самых красивых в Европе. Великолепная ❽ **Вилла ди Поджо а Кайано** (площадь де Медичи, 12, Поджо а Кайано) сохраняет первоначальную структуру средневековой крепости и окружена каменной стеной с башенками на углах; Лоренцо де Медичи, предпочитавший эту виллу другим, распорядился реконструировать её в классическом стиле, оформив вход по образцу греческих храмов. Примечательны также залы Музея, расположенного в помещениях виллы.

Джамболонья, Аллегория Аппен Парк Виллы Демидовых

Медичи и Флоренция вместе прошли через историю и вместе создали один из самых больших городов-музеев в мире. Со Средних Веков, но в особенности – с Возрождения до Нового Времени характер, культура и чувствительность правителей Медичи придавали силу биению творческой мысли флорентийских жителей. Художники, поэты, литераторы, вместе с ремесленниками и трудовым людом сумели создать уникальное видение мира, подчас новаторское и провидческое, создав то огромное художественное наследие, которым все мы можем восхищаться сегодня.

Первым Медичи, сыгравшим важную роль во флорентийской общественной жизни, был **Джованни Д'Аверардо**, по прозвищу «Ди Биччи» (Флоренция ? 1360 –1429 гг.), основатель самой могущественной династии во флорентийской истории, оказавшейся в состоянии заложить прочные основания для экономического роста Республики, уделяя постоянное внимание потребностям широких народных масс.

В 1413 году Джованни становится поверенным в делах папы Джованни XXIII, прозванного «антипапой», открыв таким образом в финансовых делах тот волшебный ключ, который открыл двери к экономическому росту семьи, и в особенности – к активному вовлечению в дела Папской Курии. После открытия многочисленных филиалов обменных контор в Венеции, Риме и Неаполе, в 1421 г. он избирается городским гонфалоньером и проводит в жизнь политику, которая, основываясь на поддержке самых широких народных слоёв, приводит его к достижению практически абсолютной власти. Будучи активным покровителем изящных искусств, в том же 1421 году Джованни поручает Брунеллески построить в церкви Сан Лоренцо «Ризницу и капеллу», положив таким образом начало масштабным работам по трансформации церкви в частную базилику и фамильную усыпальницу Медичи, завершённым уже его наследниками.

Наследником Джованни стал его сын **Козимо,** по прозвищу Старший или Отец Отечества (Флоренция, 1389–1464 гг.), - неординарная личность, чрезвычайно одарённая как в деловой, так и в интеллектуальной сфере, проявивший особые склонности к философии. Будучи в оппозиции к флорентийской аристократии, находился в изгнании с 1432 по 1434 г., но после возвращения именно он сумел привести семью Медичи к верховной власти над городом и всей Тосканой.

Основатель *Академии Платона* и собиратель первой коллекции манускриптов, положившей основу собрания *Библиотеки Медичи-Лауренциана*, Козимо был и любителем искусства. Он был дружен с Б. Анджелико и П. Уччелло, являлся большим ценителем Донателло, которому заказал лепку и бронзовые двери Старой Ризницы, бронзовые кафедры (незаконченные) церкви Сан Лоренцо, статуи *Давида* и *Юдифи и Олоферна*.

В области архитектуры счёл Микелоццо самым подходящим кандидатом для реализации Дворца Медичи на улице Ларга, Бадии Фьезолана, монастыря Сан Марко, капеллы Новициато в Санта Кроче и церкви Аннунциата.

Пьеро Готтозо (Флоренция, 1416-1469 гг.), пришедший к власти в возрасте 48 лет, сумел, несмотря на трудности начального периода, завоевать с 1466 г. поддержку своего непродолжительного правления, длившегося всего 5 лет. Будучи, во времена правления отца, посланником и поверенным в делах семьи при важнейших европейских дворах, получил от французского короля право на изображение цветка лилии в фамильном гербе Медичи.

Будучи знатоком древнеримской культуры, Пьеро прослыл большим коллекционером и любителем декоративного искусства; среди художников отдавал предпочтение Д. Венециано и Б. Гоццоли, которому была поручена роспись капеллы Дворца Медичи. Высоко ценил работы Л. делла Роббиа, за тщательность обработки и оригинальность композиций из мрамора и глазурованной терракоты и Микелоццо, которому, следуя примеру отца, он передал заказы по оформлению церкви Сантиссима Аннунциата и капеллы Распятия в Сан Миниато аль Монте.

Лоренцо, прозванный своими современниками **«Великолепный»** (Флоренция, 1449-1492 гг.) сделал Флоренцию цветущим городом и, благодаря своей потрясающей политике поощрения искусств, превратил её в «новые Афины». Несмотря на козни своих врагов, среди которых выделялся Лука Питти, пытавшихся свергнуть владычество Медичи, и на тяжёлый политический кризис 1479 года, завершившийся оккупацией города папскими и неаполитанскими войсками, выступившими против флорентийцев, Лоренцо проявил свой недюжинный дар политической интриги, немедленно превратившись в союзника неаполитанского короля Ферранте и разрешив таким образом в свою пользу тяжёлый кризис власти.

Ученик *Академии Платона* и утончённый литератор, он стал автором книг, написанных в различных жанрах на «народном» языке, и был выдающимся меценатом. Он продолжил все работы, начатые его предшественниками и сотрудничал с многочисленными художниками. Среди прочих мастеров предпочитал А. дель Верроккио, который в своей мастерской художника, скульптора и золотых дел мастера обучал Леонардо да Винчи и Перуджино (среди его работ упомянём *Крещение Христа*, статую *Давида*, изготовленную для виллы Кареджи и в настоящее время выставленную в Барджелло и новаторский *Амур с Дельфином*, выставленный в Палаццо Веккио) и Филиппино Липпи, утвердившегося среди современных ему грандов благодаря покровительству своего влиятельного патрона. Дж. да Сангалло, любимый архитектор Лоренцо Великолепного и выразитель аристократических и неоплатонических идей, весьма модных в те времена во Флоренции, стремился воплотить во всех своих работах, и в особенности в тех, которые были выполнены по заказу правителя Флоренции: церковь Санта Мария делле Карчери в Прато, ризница Санто Спирито и вилла в Поджо а Кайано, - основополагающие принципы современной ему философской культуры, состоящие в поисках «совершенной» формы.

Правление **Пьеро**, сына Лоренцо, по прозвищу **«Невезучий»** (Флоренция, 1472? г. – Гаэта, 1503 г.) длилось только два года, с 1492 по 1494 г. Несмотря на его образованность и эрудированность, он был далёк от интеллектуального уровня отца и допустил ряд политических ошибок, вызвавших банкротство семьи; по этой причине он был вынужден, вместе с братьями Джованни – будущим папой Львом X и Джулиано, покинуть Флоренцию.

После бегства Медичи всё достояние семьи, состоявшее из предметов искусства, мебели и драгоценных манускриптов было разграблено разъярёнными горожанами; это означало утрату бесценных сокровищ, собранных в «золотой век» процветания флорентийского искусства и культуры.

Изгнание Медичи длилось вплоть до 1512 года.

После возвращения Медичи **Джулиано** (Флоренция, 1479-1516 гг.), которому король Франции пожаловал титул герцога **ди Немур**, взял в руки власть, но его правление длилось всего один год, до 1513 года. Тем не менее, ему удалось заслужить доверие подданных благодаря своим способностям к примирению враждующих сторон и исключительной честности. В 1513 году Джулиано переезжает в Рим, чтобы занять пост гонфалоньера папской армии, получив это назначение из рук брата Джованни (Флоренция, 1475 г. – Рим, 1521 г.), взошедшего на папский престол под именем Льва X.

Джулиано был похоронен в Новой Ризнице Сан Лоренцо, а его надгробное мраморное изображение было исполнено Микеланджело.

Совершенно противоположные качества продемонстрировал Лоренцо, герцог **Урбинский** (Флоренция, 1492-1519 гг.) и сын Пьера Невезучего; если в первое время он придерживался политической линии папы Льва X Медичи, пожаловавшего ему, кстати, различные привилегии, но в скором времени изменил стиль правления, проявив своё безудержное стремление к власти.

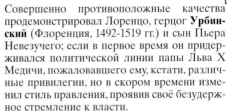

Алессандро (Флоренция, 1511-1537 гг.), сын Джулио де Медичи, известного также, как папа Клемент VII (Флоренция, 1478 г. – Рим, 1534 г.) стал первым герцогом Флоренции. Хитрый и мстительный правитель, он установил во Флоренции тиранию; сумел добиться руки Маргериты, дочери императора Карла V, но спустя несколько месяцев пал от руки своего двоюродного брата Лоренцино, по прозвищу «Лоренцаччо».

После убийства Алессандро бразды правления Флоренцией перешли в руки ещё очень молодого **Козимо I** (Флоренция, 1519-1574 гг.), сына Джованни делле Банде Нере, который с самого начала осуществлял политику, основанную на союзе с императорской властью. В 1539 году он женится на Элеоноре, дочери вице-короля Неаполя Педро да Толедо, и вместе с супругой оставляет дворец на улице Ларга и переезжает в Палаццо делла Синьория. В эпоху своего правления Козимо сумел укрепить политическое и экономическое положение Герцогства: он почти удвоил земельные владения, присоединив Сиену, создал военный флот, основал Военный орден Св. Стефана, начал разработку серебряных копей под Пьетрасантой, мраморных карьеров в Карраре, добился концессии на добычу квасцев в Пьомбино и разместил стратегически важный гарнизон в Портоферрайо.

Хорошие результаты проводимой в жизнь политики принесли Козимо в 1569 г. титул Великого Герцога Тосканы, пожалованный ему папой Пием V, но большие успехи были омрачены ещё большей утратой: в 1562 г. от лихорадки умерли дети Козимо Джованни и Гарсия, а в скором времени – и любимая жена Элеонора.

Козимо, лишившись поддержки супруги, верного и мудрого советника в делах, оказывавшей ему не только финансовую, но и политическую поддержку благодаря бесценным связям отца при папском дворе, в 1564 году, отойти от дел, назначив своим преемником сына Франческо.

Козимо оставил глубокий след и в истории изящных искусств, возведя линию на поддержку культуры в ранг государственной политики. В 1547 г. заложил Лоджию Нового Рынка, в 1548 г. распорядился открыть для широкой публики Библиотеку Медичи-Лауренциана, поручив Вазари завершение работ по первоначальному проекту Микеланджело, в 1554 г. распорядился установить *Персея* Челлини в лоджии площади Синьории. В 1555 г. доверил Дж. Вазари проект по превращению Палаццо Синьории в резиденцию двора, в 1560 г. заказал тому же Вазари постройку Уффици и перехода (называемого Коридором Вазари), ведущего из Палаццо Веккио в Палаццо Питти, приобретенный в 1549 г. Элеонорой и расширенный под руководством Б. Амманнати. В 1563 г. основал Академию Искусств и Рисунка, - первую академию изящных искусств в Европе.

Более того, Великий Гёрцог оставил глубокий след в архитектуре всех тосканских земель, распорядившись возвести многочисленные крепости и укреплённые сооружения, по проектам ведущих военных архитекторов того времени.

Последним заказом Козимо стала роспись купола Дуомо - кафедрального собора Флоренции, порученная Вазари в 1574 г., но ни заказчик, ни художник так и не увидели работу законченной, так как оба умерли в 1574 г.

Сын Козимо **Франческо I** (Флоренция, 1541-1587 гг.) взошёл на престол ещё до смерти отца и правил с 1574 по 1587 г.; замкнутый и неразговорчивый, утопил в крови заговор против престола, в котором участвовали представители самых известных флорентийских семей, что ещё более увеличило враждебность к нему подданных. Франческо старался придерживаться политической линии Козимо, основанной на хороших отношениях с Испанией и Империей, но на самом деле предпочитал посвящать большую часть своего времени своим увлечениям: научным и алхимическим опытам и собственноручно проводил исследования в области фармакологии и физики.

Имя Франческо всегда связывалось с именем Бьянки Каппелло, венецианской аристократки необычайной красоты; он был настолько влюблён в неё, что не стеснялся публично демонстрировать их связь ещё при жизни своей супруги, эрцгерцогини Джованны Австрийской. В 1578 г., по истечении всего двух месяцев после кончины Джованны, Каппелло наконец стала законной супругой Франческо и Великой Гёрцогиней Тосканы. Союз Франческо и Бьянки остался нерушимым даже на смертном одре, - 21 октября 1587 г. на фамильной вилле в Поджо а Кайано они распрощались с жизнью с разницей всего в несколько часов. Знаменит своей оригинальностью и качеством художественного оформления так называемый *Студиоло* («Небольшой кабинет»), который Франческо распорядился оборудовать рядом с Залом Пятисот в Палаццо Веккио. Для оформления этого маленького помещения в духе основополагающей идеи, связывающей естественные элементы и творения рук человеческих в соответствии с базовыми положениями алхимии, Великий Гёрцог привлёк художников такого ранга, как Вазари, Бронзино, Амманнати и Джамболонья, создавших самую настоящую «комнату чудес», украшенную великолепными панно, за которыми скрывались многочисленные шкафчики и шкатулки, где хранились редкие и любопытные предметы. Франческо питал страсть к коллекционированию кристаллов, полудрагоценных камней, фарфоровых и керамических изделий, обработкой которых он иногда занимался собственноручно. Среди художников он отдавал предпочтение разностороннему таланту Буонталенти, управляющего общественными работами и знатока всех видов искусств и ремёсел, к которому он обращался для выполнения самых разных работ, - таких, как изготовление кубков и ваз из полудрагоценных камней, постановка спектаклей, организация празднеств и фейерверков, - область, в которой он достиг таких высот, что современники прозвали его «Бернардо делле Джирандоле».

Но интеллектуальной вершиной правления Великого Гёрцога стали Уффици, в которых он собрал коллекции семьи Медичи и реализовал восьмиугольную Трибуну, построенную по проекту Буонталенти.

Франческо содействовал росту числа вилл Медичи, - в частности, упомянём Виллу Пратолино, построенную по проекту Буонталенти и окружённую огромным парком с гротами, фонтанами и павильонами, среди которых выделяется знаменитый *Апеннинский Гигант* работы Джамболонья.

Ещё в возрасте 14 лет **Фердинандо I** (Флоренция, 1549 – 1609 гг.) по воле отца Козимо был возведён в кардинальский сан папой Пием V, но в 1587 г., после смерти брата Франческо, отказался от должности ради титула Великого Гёрцога. Фердинандо проявил себя миролюбивым правителем, сумевшим восстановить в государстве климат спокойствия и завоевать доверие соотечественников. Посредством серии браков по расчёту, самым удачным из которых была его женитьба на Кристине ди Лорена, стремился укрепить положение семьи Медичи среди самых важных европейских правящих домов. Произвёл настоящий переворот в международной политике Флоренции, сделав ставку на укрепление связей с Францией в ущерб историческому союзу с Испанией. Благодаря инициативе Фердинандо была основана в 1588 г. Галерея Ремёсел, впоследствии преобразованная в Фабрику Твёрдого Камня, возведены Бельведерский Форт и виллы в Артимино, Амброзиана и в Монтелупо. Заказал скульптору Джамболонья конную статую Козимо I, установленную в 1594 году на площади Синьории и П. Такка – памятник себе самому для площади Сантиссима Аннунциата.

Правление **Козимо II** (Флоренция, 1590 – 1621 гг.) знаменуется окончательным отказом семьи Медичи от банковской деятельности и реабилитацией Галилео Галилея, которым была доверена кафедра высшей математики во Флоренции. Жизнь этого высокообразованного политического деятеля и великодушного правителя была отмечена печатью тяжёлой болезни, которая обусловила его преждевременную кончину в возрасте всего 31 года.

Он был инициатором расширения Палаццо Питти, порученного Джулио Париджи в 1618 г. в то время, как его супруга Мария Маддалена Австрийская занималась перестройкой Виллы Поджо Империале, названной так по причине её габсбургских корней.

Великий Герцог внедрил во Флоренции новые стили живописи, ещё только утверждавшиеся в Европе и пригласил ко двору Ж. Калло и Ф. Наполитано, а в 1620 г. назначил Ю. Суттерманса придворным портретистом Дома Медичи.

Перед своей смертью Козимо II оставил подробное завещание, в котором предусматривалось, что вплоть до совершеннолетия его сына правление переходило в руки Кристины ди Лорена и Марии Маддалены Австрийской, соответственно бабушки и матери законного наследника. Тем временем Флоренция вступила в период глубокого кризиса, обусловленного упадком торговли, ужасной эпидемией чумы, опустошавшей город с 1630 по 1633 годы, и последствиями восьми лет правления, в течение которого две женщины растратили огромное состояние.

Таким образом, когда бразды правления перешли в руки **Фердинандо II** (Флоренция, 1610 – 1670 гг.) его первоочередной задачей стала организация действенной системы экономической и санитарной помощи населению. С целью объединения Урбинского Герцогства с Великим Тосканским Герцогством он был вынужден вступить в брак со своей двоюродной сестрой Викторией делла Ровере, но, несмотря на это, объединение двух государств так и не было воплощено в жизнь из-за противодействия папы Урбано VIII.

Человек высокой культуры и знаток искусства, Фердинандо II внёс решающий вклад в оживление интеллектуальной жизни Флоренции, дав новый толчок развитию Академии Рисунка, делла Круска, дельи Альтерати, дельи Иммобили и дельи Инфокати. В 1637 г. распорядился отделать фасад церкви Онисанти, в 1640 г. установил конную статую Фердинандо I на площади Сантиссима Аннунциата и заказал художникам Дж. да Сан Джованни, Ф. Фурини, Ч. Браво и О. Таннини отделку гостиной летних апартаментов Палаццо Питти. Неожиданным был также выбор П. да Кортона, мастера римского барокко, для реализации фресок Зимних квартир Палаццо Питти.

От супруги Виктории получил в приданое многие шедевры искусства, выставленные в настоящее время во Флорентийских Музеях, среди которых – *Портреты Герцогов Урбинских* работы П. делла Франческа, *Венера* Тициана и различные полотна Рафаэля.

Он коллекционировал часы, ларцы, игрушки и изделия из полудрагоценных камней, которые он подбирал с большим вкусом и знанием дела.

Великий Герцог **Козимо III** (Флоренция, 1642 – 1723 гг.) был, в отличие от своих предшественников, весьма посредственной личностью, содействовавший, благодаря также исключительной продолжительности своего правления (1670 – 1723 гг.), упадку Флоренции. Обладая слабым и ханжеским характером, он установил на территории Герцогства режим террора, позволив даже (случай неслыханный во всю эпоху правления Медичи) преследование евреев.

Единственной заслугой Козимо можно считать его попытку разрешить проблемы наследования династии Медичи; ввиду того, что его сыновья не имели детей он попытался, посредством сложной политической комбинации, передать правление Великим Герцогством своей дочери Марии Луизе, обеспечив таким образом автономию Тосканы. Тем не менее, только по совместному решению великих держав, принятому в Вене в 1734 году, Тоскана перешла к Лорена.

В области культуры и искусства Козимо содействовал продвижению работ по отделке Капеллы Принцев в Сан Лоренцо; его любовь к природе послужила причиной интереса к жанру натюрморта в живописи; среди наиболее любимых им художников отметим К. Дольчи и изготовителя восковых фигур Г. Дзумбо - создателя своеобразных и подчас жутких произведений.

Большим ценителем искусства и поклонником венецианской живописи был Фердинандо, первородный сын Козимо, преждевременно умерший в 1713 г. Он приобрёл много работ, среди которых – *Мадонна под Балдахином* Рафаэля, *Мадонна с Гарпиями* работы Андреа дель Сарто и *Мадонна с длинной шеей* кисти Пармиджанино.

Наследником Козимо стал сын **Жан Гастон** (Флоренция, 1671-1737 гг.), который остался в памяти современников в первую очередь благодаря своей нелюдимости и свободе нравов; тем не менее, принял меры по отмене драконовских законов, введенных отцом, и распорядился установить памятник Галилею в Санта Кроче.

Дочь Козимо III **Анна Мария Луиза** (Флоренция, 1667 – 1743 гг.) стала последней представительницей династии, правившей Тосканой; в качестве супруги Джованни Вильгельма, получила курфюрстский титул. Анна проявила себя мудрой и просвещённой правительницей и незадолго до своей смерти, в 1737 г., совершила поступок исключительной щедрости, завещав Великому Тосканскому Герцогству огромное художественное достояние, собранное в эпоху правления династии, запечатлев таким образом славу Медичи в благодарной памяти потомков.

☎ **КАРАБИНЕРЫ:** тел. 112

☎ **СКОРАЯ ПОМОЩЬ:** тел. 118

☎ **ПОЛИЦИЯ:** тел. 113

☎ **ПОЖАРНАЯ ОХРАНА:** тел. 115

✈ **АЭРОПОРТ "АМЕРИГО ВЕСПУЧЧИ"** (ул. Термине, 11): тел. 05530615 • 0553061300

🚌 ATAF (общественный транспорт) справочные: Киоск Ataf на площади Стацьоне - телефонная служба "ПронтоАтаф" тел. 800424500, www.ataf.net. Можно принять участие в обзорных экскурсиях по городу, приобретя билет на двухэтажные красные автобусы сети FIRENZE CITY SIGHTSEEING, предлагающей большой выбор маршрутов.

🅿 **СЕТЬ ПЛАТНЫХ АВТОМОБИЛЬНЫХ СТОЯНОК:** тел. 0552720131, www.firenzeparcheggi.it

🚕 **ТАКСИ:** тел. 0554242 • 0554390

🚆 **ЖЕЛЕЗНЫЕ ДОРОГИ – ОФИС** (площадь Стацьоне, 1): тел. 055219656

✉ **ЦЕНТРАЛЬНЫЙ ПОЧТАМТ** (ул. Пелличерия, 3): тел. 055218156, (часы работы: понедельник-пятница 8,30-19, суббота 8,30-12,30)

♣ **ОФИЦИАЛЬНЫЙ ВЭБ-САЙТ МУНИЦИПАЛИТЕТА ФЛОРЕНЦИИ:** www.comune.firenze.it

ⓘ **АГЕНТСТВО ПРОПАГАНДЫ ТУРИЗМА (АПТ)** - Провинция и муниципалитет Флоренции (улица Кавур, 1р): тел. 055.290832-3, www.firenzeturismo.it

ⓘ **ИНФОРМАЦИОННО-СПРАВОЧНОЕ ТУРИСТСКОЕ БЮРО** (площадь Стацьоне, 4): тел. 055 212245.

↳ ITA **ОБЪЕДИНЕНИЕ ТУРИСТСКИХ И ГОСТИНИЧНЫХ СПРАВОЧНЫХ** (внутри здания железнодорожной станции Санта Мария Новелла): тел. 055.282893

🏛 **"FIRENZE MUSEI" ФЛОРЕНТИЙСКИЕ МУЗЕИ** - справки и предварительные заказы: тел. 055294883, www.firenzemusei.it

📭 **ЕЖЕНЕДЕЛЬНАЯ ЯРМАРКА:** Парк делле Кашине (бульвар Ольми), каждый вторник в первой половине дня (часы работы: 8-13). В продаже: продукты питания, цветы, домашняя утварь, ткани и одежда; тянется на 3 км вдоль бульвара, засаженного деревьями.

🍴 **ТИПИЧНЫЕ БЛЮДА ФЛОРЕНТИЙСКОЙ КУХНИ:** кростини ди фегатини (гренки с паштетом из куриной печёнки), кростони аль каволо неро (поджаренные хлебцы с чёрной капустой), финоккьона и збричолона (виды колбасы с фенхелем), паппарделле аль чингьяле или алла лепре (местная лапша с рагу из кабана или зайца), риболлита (овощной суп), паппа аль помодоро и панцанелла (блюда из помидоров и хлебного мякиша), аквакотта (суп из цикория и сухого хлеба), бифштекс, пепозо (жаркое с перцем), триппа и лампредотто (виды жаркого из телячьего желудка), баккала (сушёная треска, размоченная перед приготовлением), фаджоли аль уччеллетто (фасоль под острым томатным соусом). Из местных сладостей рекомендуется попробовать торта делла нонна (бабушкин пирог), будино ди ризо (рисовый пудинг), торта аль семолино (пирог из манной крупы) и кантуччини с Вин Санто (печенье с орехами в сладком вине), скьяччата (вид хлеба) и ченчи в период карнавала, пан ди рамерино (пирог с розмарином) и кварезимали на Пасху, скьяччата кон ува (с виноградом) и кастаньяччо (пирог из муки каштанов) осенью. Характерной особенностью местного хлеба является отсутствие соли, а для любителей «перехватить на ходу» рекомендуем солёную Скьяччату. Имеется широчайший выбор ресторанов, среди которых можно порекомендовать Бука Лапи (улица Треббио, 1р) и трактир да Джиноне (улица Серральи, 35р), - оба характерны домашней тосканской кухней.

Рекомендуем также попробовать: бутерброды, сдобренные трюфелем, в кафе *Прокаччи* (ул. Торнабуони, 64р), свежайшие пирожные с кремом в кафе *Куччоло* (ул. дель Корсо, 25р), фирменные бутерброды в кафе *Фрателлини* (улица де Чиматори, 38р), мороженое в *Перке но?* (*Почему бы и нет?*, улица деи Таволини, 19р) и шоколад в баре Хэмингуэй (площадь Пьяттеллина, 9р).

[1] НАРОДНЫЕ ПРАЗДНЕСТВА:

6 января – Шествие Волхвов: традиционный кортеж, участники которого одеты в костюмы эпохи Возрождения, проходящий по главным улицам исторического центра.

Пасхальное воскресенье – Сожжение повозки (площадь Дуомо): после торжественной мессы в Дуомо участники празднества поджигают механическую «голубку» и выпускают её в сторону повозки, стоящей на площади около Дуомо и нагруженной зарядами фейерверка. Считается, что, если поджог прошёл удачно – будет удачным и весь год.

24 июня – матч исторического флорентийского футбола (площадь Санта Кроче): игра в средневековый футбол между четырьмя флорентийскими историческими кварталами; началу матча предшествует шествие 530 артистов в костюмах эпохи Возрождения.

24 июня – «фоки ди Сан Джованни» (площадь Микеланджело): праздник в честь покровителя города Св. Иоанна Крестителя, сопровождающийся вечерним фейерверком.

 ПОКУПКИ ВО ФЛОРЕНЦИИ: из типично флорентийских ремёсел упомянём традицию флорентийского шитья (широко известны изделия *ТАФ*, улица Пор Санта Мария, 22р), изделий из бумаги (*Джаннини*, улица Питти, 37р) и серебра (*Брандимарте*, ул. Ариосто 11С/r), выделку кожи (*Парри'с*, улица Гвиччардини, 18р), производство духов (Мастерская Духов и Лекарственных Эссенций Санта Мария Новелла, улица делла Скала, 16) и шёлка (*Старинная флорентийская шёлкоткацкая фабрика*, улица Бартолини, 4).

Для желающих приобрести хорошие вина рекомендуем *Энотеку Бонатти* (улица В. Джоберти, 66р) и *Дзанобини* (улица Сан Антонио, 47р).

 ЧЕТВЕРОНОГИЕ ДРУЗЬЯ: зона, оборудованная для выгула собак, расположена в парке Вилла Боскетто (улица Соффьяно, 11).

Ещё одна оборудованная площадка находится в Парке делле Кашине (бульвар Ольми). Напоминаем, что, во избежание штрафов, хозяева собак должны убирать за своими четвероногими спутниками их экскременты.

Указатель памятных мест

вышло из печати в
марте 2006 г.
типография Genesi,
Читта ди Кастелло по заказу
sillabe